D1247806

Miss Islande

DU MÊME AUTEUR
CHEZ ZULMA

Rosa candida, roman, 2010 & 2015.
L'Embellie, roman, 2012 & 2017.
L'Exception, roman, 2014.
Le rouge vif de la rhubarbe, roman, 2016 & 2018.
Ör, roman, 2017.

AUÐUR AVA ÓLAFSDÓTTIR

MISS ISLANDE

Roman traduit de l'islandais
par Éric Boury

ZULMA
18, rue du Dragon
Paris VIe

La couverture de *Miss Islande*
a été créée par David Pearson.

Titre original :
Ungfrú Ísland

Ce livre a été traduit avec le soutien de :

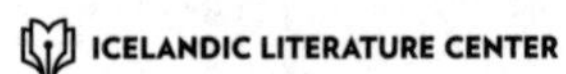

Si vous désirez en savoir davantage
sur Zulma ou sur *Miss Islande*
n'hésitez pas à nous écrire
ou à consulter notre site.
www.zulma.fr

Z

À la mémoire de mes parents

Il y a dans le monde je ne sais combien de langages, et personne n'en est dépourvu.

Première épître de Paul aux Corinthiens

Il faut porter en soi un chaos pour pouvoir mettre au monde une étoile qui danse.

NIETZSCHE, *Ainsi parlait Zarathoustra*

I.

La terre de nos mères

II.

Le poète du jour

Les entrailles de la Terre ne sont pas non plus le royaume de l'immobilité ou de l'inertie, elles recèlent l'élément le plus terrifiant et puissant qui soit : le feu.

JÓNAS HALLGRÍMSSON,
revue littéraire *Fjölnir,* 1835

1942

La chambre de celle qui m'enfanta

Je suis tombée par hasard sur un nid d'aigle quand j'étais enceinte de toi, à cinq mois de grossesse, un creux de deux mètres tapissé de roseaux des sables au bord de la falaise, près de la rivière. Deux aiglons dodus s'y blottissaient, j'étais seule, l'aigle tournoyait au-dessus de moi et de son nid, il battait violemment des ailes, dont l'une était déplumée, mais ne m'attaqua pas. Je supposai que c'était la femelle. Elle me suivit tout du long jusqu'à la porte de la maison, une ombre noire au-dessus de ma tête comme un nuage qui passe devant le soleil. J'avais le sentiment que j'attendais un garçon. Je décidai de le baptiser Örn, Aigle. Le jour de ta naissance, trois semaines avant terme, l'aigle revint voler au-dessus de la ferme. Ce fut le vieux vétérinaire venu inséminer une vache qui t'accueillit. Avant de prendre sa retraite, sa dernière mission fut de mettre au monde un enfant. En sortant de l'étable, il retira ses cuissardes et se lava les mains avec un morceau neuf de savon Lux. Puis il te souleva bien haut et annonça :

— Lux mundi.

Lumière du monde.

Le vétérinaire, qui d'habitude laissait les femelles

nettoyer elles-mêmes leur progéniture, remplit la bassine à tripes pour te donner un bain. Il remonta les manches de sa chemise en flanelle et plongea les bras dans l'eau jusqu'aux coudes. Je les observais, lui et ton père, penchés sur toi et me tournant le dos.

— C'est bien ma fille, déclara ton père avant d'ajouter d'une voix suffisamment distincte pour que je l'entende : Bienvenue, ma petite Hekla.

Il avait choisi ton nom sans me consulter.

— Pas un nom de volcan, et encore moins de la bouche de l'enfer, protestai-je depuis mon lit.

— Il faut bien qu'on y entre par quelque part, rétorqua le vétérinaire.

Ils me tournaient le dos, penchés sur la bassine, abusant de ma faiblesse, j'étais exsangue.

Quand je l'ai épousé, j'ignorais que ton père était obsédé par les volcans. Qu'il passait son temps plongé dans des récits d'éruptions, correspondait avec trois géologues, faisait des rêves prémonitoires des déchaînements de la Terre, et n'attendait qu'une chose : voir un panache de fumée monter dans le ciel et sentir le sol trembler sous ses pieds.

— Tu voudrais peut-être que la terre s'ouvre au bout de notre champ ? demandai-je. Comme une femme qui accouche ?

Je haïssais la lave. Un champ de lave vieux de mille ans cernait de toutes parts les terres de notre ferme. Il fallait le franchir pour aller cueillir des baies sur la lande et on ne pouvait pas donner un coup de bêche dans le carré de pommes de terre sans buter sur un rocher.

—Arnhildur, la femelle de l'aigle, dis-je de sous la couette dont ton père venait de me couvrir. C'est un prénom de combattante. Gottskálk, il reste à peine vingt aigles en Islande, alors qu'il y a plus de deux cents volcans, ajoutai-je dans une ultime tentative.

—Je vais te préparer un café, répondit-il à titre de compromis, ou d'armistice.

Sa décision était sans appel. Je me tournai finalement sur le côté et je fermai les yeux pour qu'on me laisse tranquille.

Quatre ans et demi après ta naissance, l'Hekla entra en éruption au terme de cent deux ans de sommeil. Örn avait deux ans. Ton père eut enfin l'occasion d'entendre dans la province des Dalir les grondements titanesques dont il rêvait, comme un écho de la guerre mondiale qui venait de s'achever. Il appela immédiatement sa sœur dans les îles Vestmann pour lui demander ce qu'elle voyait depuis la fenêtre de sa cuisine. Elle était en train de faire revenir des beignets, elle lui répondit que le nuage stagnait au-dessus de l'archipel, que le soleil était rouge et qu'il pleuvait des cendres.

La main sur le combiné, ton père me répétait ses propos mot pour mot.

—Elle dit que le soleil est rouge et qu'il pleut des cendres, qu'il fait presque aussi noir qu'en pleine nuit et qu'elle a dû allumer la lumière.

Il lui demanda si le spectacle était aussi grandiose que terrifiant et si le sol de la maison tremblait.

—Elle dit que le spectacle est aussi grandiose que terrifiant, que toutes les gouttières sont pleines de cendres et que

son mécanicien de mari est monté sur l'échelle pour les nettoyer.

Il passait son temps l'oreille collée au poste de radio et me résumait les informations essentielles.

— La bouche d'éruption, le cratère si tu préfères, est en forme de cœur, un cœur de feu.

Ou bien :

— Tu te rends compte, Steinthóra, le volcan a craché une bombe de lave en forme de cigare de onze mètres de long sur cinq de large.

Bientôt, il ne se contenta plus de ce que sa sœur voyait par la fenêtre de sa cuisine. Ni des photos figées en noir et blanc de la colonne de fumée à la une du journal. Il voulait voir l'éruption de ses yeux, il voulait voir les couleurs, voir ces blocs de lave incandescents, ces roches gigantesques éjectées dans les airs, il voulait voir les yeux de feu rougeoyants qui crachaient des étoiles filantes comme autant d'étincelles dans une forge, il voulait voir ce mur de lave noire et ardente avancer en rampant comme une métropole illuminée, il voulait savoir si les flammes du volcan coloraient le ciel en rose, sentir la chaleur sur ses paupières, ses yeux le picoter, il voulait foncer dans sa jeep russe jusqu'à la vallée de Thjórsárdalur.

Et il voulait t'emmener avec lui.

— Jónas Hallgrímsson, notre grand poète, qui mieux que personne a décrit les éruptions dans ses vers, n'en a jamais vu aucune, dit-il. Tout comme le naturaliste Eggert Ólafsson. Mais Hekla ne peut pas manquer l'éruption du volcan dont elle porte le nom.

— Tu ne voudrais pas plutôt vendre la ferme, prendre un nouveau départ et déménager à Thjórsárdalur ? demandai-je. J'aurais aussi bien pu lui dire : Tu ne veux pas quitter nos terres de la Saga des Gens du Val-au-Saumon *pour aller t'installer sur celles de la* Saga de Njáll ?

Il te cala sur un coussin à l'avant de la jeep pour que tu puisses profiter du paysage. Moi je devais rester ici avec Örn sans discuter. À son retour, en voyant que les semelles de ses bottes avaient fondu, je compris qu'il s'était trop approché.

— Laisse-moi te dire que ça bouillonne encore sacrément dans les bonnes vieilles artères de l'Hekla, annonça-t-il en te portant, endormie, dans ton lit.

L'été suivant, les cendres recouvrirent la province des Dalir et dévastèrent les champs. On retrouva des bêtes mortes dans des creux où stagnaient les gaz toxiques : des renards, des oiseaux et des moutons. Ton père arrêta enfin de parler des éruptions et se remit au travail.

Toi, tu étais transformée. Tu avais fait un voyage. Tu t'exprimais différemment. Tu parlais la langue des éruptions, tu employais des mots comme sublime, prodigieux et titanesque. Tu avais découvert le monde, tu regardais le ciel. Tu as pris l'habitude de disparaître. Nous te retrouvions allongée dans les champs, à observer les nuages, ou en hiver, sur une congère, à contempler les étoiles.

I.

La terre de nos mères

Qui peut s'enorgueillir d'avoir plus belle patrie,
ces montagnes, ces vallées, ces sables azurés,
d'un diadème d'aurores boréales couronnés,
aux collines tapissées de bouleaux et de sources ?

HULDA, 1944

1963

Poète est un mot masculin

L'autocar de Reykjavík laisse dans son sillage un nuage de poussière. La route en terre, tout en creux et en bosses, serpente de virage en virage et on ne voit déjà presque plus rien par les vitres sales. Le cadre de la *Saga des Gens du Val-au-Saumon* aura bientôt disparu derrière un écran de boue.

La boîte de vitesses grince à chaque fois qu'on descend ou qu'on gravit une colline, et j'ai comme l'impression que l'autocar n'a pas de freins. L'énorme fissure qui traverse le pare-brise de part en part ne semble pas gêner le chauffeur. Il n'y a pas grand-monde sur la route. Les rares fois où nous croisons un autre véhicule, notre conducteur klaxonne vigoureusement. Au passage d'une niveleuse, il doit se déporter sur l'accotement où il vacille un peu. Les Ponts et chaussées ont décidé de remettre en état les routes en terre de la province des Dalir, ce qui donne aux conducteurs l'occasion de discuter un bon moment, vitres baissées.

— Je pourrai m'estimer heureux si je ne perds pas un essieu dans tous ces cahots, déclare le chauffeur de l'autocar.

Nous avons à peine quitté le village de Búdardalur,

mais en fait je suis à Dublin, l'index posé sur la page vingt-trois d'*Ulysse* de Joyce. On m'avait parlé d'un roman plus épais que la *Saga de Njáll* qu'on pouvait se procurer à la librairie anglaise de la rue Hafnarstræti. Je me le suis fait livrer à la ferme.

—Ce que vous dites, c'est du français, monsieur? demanda la vieille femme à Haines.

Il lui répondit longuement, avec assurance.

—De l'irlandais, observa Buck Mulligan. Où il est passé, votre gaélique?

—Je me disais bien que c'était de l'irlandais, répondit-elle, je reconnaissais les sonorités.

Ma lecture avance lentement, entravée par les bringuebalements de l'autocar autant que par la médiocrité de mon anglais. Le dictionnaire est ouvert sur le siège inoccupé à côté du mien, mais cette langue est plus ardue que je ne le soupçonnais.

Je cherche un coin de la vitre qui ne soit pas couvert de boue pour regarder le paysage. N'est-ce pas dans cette ferme qu'a vécu une poétesse autrefois? Avec cette rivière impétueuse aux eaux gris anthracite chargées de sable et de boue qui murmurait au creux de ses veines? Ses vaches en pâtissaient, disait-on. Pendant qu'elle couchait sur le papier des amours et des destins tragiques, s'échinant à convertir les couleurs des brebis en couchers de soleil sur le Breidafjördur, elle oubliait de les traire. Or il n'y a pas pire péché que de ne pas vider des mamelles gorgées de lait. Quand elle rendait visite aux habitants des fermes voisines, elle ne voyait pas le temps passer, elle déclamait des poèmes ou se taisait des heures durant en trempant des morceaux de sucre dans son café. Il paraît qu'en écrivant, elle entendait un orchestre symphonique. Ou qu'il lui arrivait de réveiller ses enfants en pleine nuit pour les emmener dans ses bras voir depuis la cour de la ferme le ballet des aurores boréales onduler dans le ciel noir. Le reste du temps, elle s'enfermait dans la chambre conjugale, la tête sous la couette. Elle portait en elle tant de mélancolie que, par une claire soirée de printemps, elle a rejoint les profondeurs de la rivière argentée. La perspective de manger bientôt des œufs frais de macareux moine ne lui suffisait plus, car elle avait perdu le sommeil. On l'a retrouvée dans un filet à truites près du pont. La poétesse aux ailes rognées fut ramenée sur la rive, jupe ruisselante, bas troués, le ventre gonflé d'eau.

Elle a détruit mon filet, a protesté le paysan à qui il appartenait. Ces mailles sont faites pour attraper des truites, pas pour pêcher des poétesses.

Son destin est une mise en garde. Mais en même temps, je ne connais pas d'autre femme écrivain.

C'est que les poètes sont des hommes.

J'ai compris alors que je ne devais parler de mes projets à personne.

Radio Reykjavík

Sur le siège devant moi, une femme voyage avec une petite fille qui a une fois encore envie de vomir. L'autocar dérape sur les gravillons puis s'immobilise. Le chauffeur presse un bouton, la porte s'ouvre sur l'air d'automne en chuintant comme un fer à vapeur. Fatiguée, la femme emmitouflée dans son manteau de laine aide la petite à descendre en lui tenant la main. C'est la troisième fois qu'on s'arrête pour faire sortir l'enfant. Le long des routes, les paysans ont creusé de grands fossés pour drainer les champs et assécher les terres où nichent les oiseaux des marais, on aperçoit çà et là des barbelés dont on se demande quelles propriétés ils délimitent.

Bientôt, je serai trop loin de chez moi pour connaître le nom des fermes que nous croisons.

Sur le marchepied, la femme met un bonnet à la petite et le lui enfonce sur les oreilles. Elle lui tient le front pendant qu'elle vomit. Puis elle plonge la main dans la poche de son manteau et en sort un mouchoir avec lequel elle lui essuie la bouche avant de remonter dans l'atmosphère enfumée.

Je sors mon carnet, je retire le capuchon de mon stylo et j'écris deux phrases. Puis j'ouvre à nouveau *Ulysse*.

Le chauffeur vide sa pipe en la tapant contre le marchepied, il allume la radio, et les hommes se rassemblent à l'avant du véhicule. Épaules imposantes et chapeaux agglutinés, ils tendent l'oreille, c'est l'heure du bulletin météo et des annonces. Le chauffeur monte le volume pour couvrir le bruit strident du moteur, on entend *Radio Reykjavík, bonjour,* puis des grésillements. Il cherche la bonne fréquence, le son est mauvais, mais j'entends qu'*on recherche un marin sur un bateau. Prêt à lever l'ancre*. Suivent d'autres grésillements qui engloutissent la voix du speaker. Les hommes retournent à l'arrière et allument leurs cigarettes.

Je tourne la page. Stephen Dedalus boit du thé tandis que le chauffeur double le tracteur Ferguson qui nous a dépassés pendant que l'enfant vomissait. *Stephen se servit une troisième tasse, une cuillerée de thé colorant faiblement le lait riche et crémeux.*

Combien de pages lui faudrait-il pour doubler le tracteur si Joyce était dans l'autocar pour Reykjavík ?

Les baleines-mères

Nous faisons une dernière halte au relais routier du Hvalfjördur. Un baleinier rentre au port avec deux cachalots plus longs que lui accrochés de part et d'autre du bastingage, leurs carcasses noires baignées d'écume. Le bateau tangue dans les vagues : comparé aux corps gigantesques des cétacés, on dirait un pauvre jouet dans une baignoire.

Le chauffeur est le premier à descendre, les passagers le suivent un à un. L'odeur qui se dégage des chaudrons de la station baleinière est insoutenable, tout le monde se précipite dans le relais routier. On y propose de la soupe d'asperges, des côtelettes panées accompagnées de pommes vapeur et de confiture de rhubarbe. Mais comme je n'ai pas encore trouvé de travail, je dois ménager mon pécule, alors je me contente d'une tasse de café et d'une tranche de quatre-quarts. En revenant vers le car, je cueille deux poignées de myrtilles.

Un homme d'âge mûr nous rejoint à la station baleinière, il monte en dernier, observe les passagers, me repère et me demande si la place d'à côté est libre. Je retire le dictionnaire. Il soulève légèrement le rebord de son chapeau en s'asseyant. Dès que nous quittons le parking, il allume un cigare.

— Il ne manque plus que le dessert, dit-il. Nom de Dieu, qu'est-ce que je ne donnerais pas pour une bonne boîte de chocolats Anthon Berg !

Il raconte qu'il est venu dans le Hvalfjördur rendre visite à quelqu'un qui possède toutes les bon Dieu de baleines qui peuplent l'océan et qu'ils ont mangé des côtelettes de mouton.

— Ils ont dépecé cinq cents cachalots cet été. Ce n'est pas un hasard si, quand ça pue la merde, les Islandais disent que ça sent le pognon.

Puis il se tourne vers moi.

— Puis-je me permettre de vous demander votre nom, mademoiselle… ?

— Hekla.

— Rien que ça ! *Hekla s'élève, vertigineuse et limpide, vers la voûte céleste…*

Il regarde le livre que j'ai entre les mains.

— Et vous lisez de la littérature étrangère ?

— Oui.

Les marins ont hissé le premier cachalot sur le plan de dépeçage, une carcasse noire géante, grande comme la caisse d'épargne de chez moi. Au bout du quai, le baleinier ressemble à un bouchon balloté par les flots. Des jeunes gens en blue-jeans et cuissardes s'attaquent aussitôt à la bête en brandissant d'immenses couteaux, les voilà qui l'ouvrent pour en extraire la couenne et le gras, les lames scintillent au soleil d'automne. Ils sont bientôt couverts de graisse. Les entrailles se répandent autour de l'animal, sous une nuée d'oiseaux qui tournoie, et les jeunes gens peinent à garder l'équilibre sur le sol glissant du plan de dépeçage, juste à côté des chaudrons.

— Je vois que mademoiselle regarde les garçons, déclare mon voisin. Une jolie jeune fille comme vous n'a donc pas d'amoureux ?

— Non.

— Eh bien, eh bien, les garçons ne lui courent pas après ? Même pas un petit béguin ?

J'ouvre mon livre et je poursuis ma lecture. Sans le dictionnaire.

Quelques instants plus tard, mon voisin revient à la charge.

— Saviez-vous qu'il est interdit de pêcher les femelles et que par conséquent ces garçons ne dépècent que des mâles ?

Il tapote son cigare au-dessus du cendrier fixé au siège devant nous.

— Sauf accident, ajoute-t-il.

Nous dépassons les baraquements et le dépôt de carburant de l'armée américaine. Les deux soldats en faction nous adressent un signe de la main. La route enjambe la montagne en serpentant, nous allons une fois de plus franchir des éboulis. Enfin apparaissent les détroits de Sundin et la capitale sous le ciel rougeoyant du soir. Au sommet d'une colline rocheuse battue par les vents on construit une église consacrée à un pauvre psalmiste. Le clocher et les échafaudages sont visibles jusqu'à Kjós.

Je referme mon livre.

Lorsque nous atteignons la route qui remonte la vallée de Mosfellsdalur, nous croisons une voiture. Le chauffeur du car ralentit brusquement.

— C'est notre prix Nobel ? demande un passager.

Les autres sursautent et collent leur visage aux vitres boueuses.

— Si c'est une Buick quatre portes de 1954, alors c'est lui, répond le chauffeur. Excellente suspension et chauffage du tonnerre.

— Je croyais qu'il avait une Lincoln verte, fait remarquer un passager.

Plus personne n'est sûr de rien, certains se demandent même si ce n'était pas une femme au volant. Avec des enfants sur la banquette arrière.

Voilà huit heures que je mange de la poussière assise dans cet autocar.

Aux dernières nouvelles : Reykjavík, brouillard, légères précipitations

Sur le parking de la gare routière du BSÍ, rue Hafnarstræti, le chauffeur descend les bagages du toit et j'attends mon tour. La nuit tombe, les magasins sont fermés, mais je sais que nous ne sommes pas loin de la librairie Snæbjörn qui vend des livres anglais. Toute frissonnante après le voyage, je resserre mon foulard et je boutonne mon manteau.

Mon voisin de car se poste à côté de moi, il me dit qu'un heureux hasard veut qu'il siège au bureau de l'Académie de la Beauté de Reykjavík avec quelques-uns de ses bons amis, au nombre desquels l'homme à qui appartiennent toutes les bon Dieu de baleines de l'océan. Le but de cette association est d'embellir la ville et d'inculquer à ses habitants le bon goût et les bonnes manières. C'est pourquoi elle organise depuis quelques années un concours de beauté qui s'est d'abord tenu à Tívolí, le parc d'attractions en plein air de Vatnsmýri, mais qui se déroule désormais en intérieur.

— Nous ne pouvions plus nous permettre de laisser la pluie et les prévisions météo décider chaque année de la date du concours. En outre, les demoiselles s'enrhumaient au grand air.

… Enfin bref, poursuit-il, nous recherchons pour participer à ce concours des jeunes filles qui ne seraient pas fiancées et dont la silhouette serait aussi gracieuse que le visage. Je sais reconnaître la beauté quand je la rencontre, voilà pourquoi j'aimerais vous inviter à briguer le titre de Miss Islande.

Je le toise.

— Non, merci.

Il insiste.

—*Chacun de vos traits est aussi limpide qu'un jour d'été islandais…*

Il plonge la main dans la poche de sa veste, en sort une carte de visite qu'il me tend. Un nom, un numéro de téléphone, et sous le nom : homme d'affaires.

— Au cas où vous changeriez d'avis.

Il réfléchit un instant.

— Vous êtes vraiment charmante dans ce pantalon à carreaux.

Le Mokka

Je me mets en chemin avec ma valise vers un appartement en sous-sol de la rue Kjartansgata. L'horloge de la petite tour carrée de la place Lækjartorg indique qu'il est bientôt sept heures. Placardée sur un des côtés de l'édifice, une femme radieuse en robe d'été bleu clair tient un paquet de lessive Persil. Sur la place, deux femmes en manteau de laine marron sont assises sur un banc tandis qu'une mouette picore un morceau de pain.

Je remonte la rue Bankastræti où roule une file ininterrompue de voitures, des grosses américaines de toutes les couleurs avec leurs sièges en cuir matelassés.

Les gars font leur tour du centre-ville : ils me klaxonnent en roulant au ralenti, le coude appuyé à la portière, cigarette au bec et cheveux gominés, ils sont à peine sortis de l'enfance. Il y a encore plus de librairies que ce que j'avais imaginé, je passe aussi devant un bureau de tabac, une boutique de vêtements pour hommes et femmes, et le magasin de chaussures Lárus G. Lúdvíksson. Pour échapper aux voitures, j'oblique sur la rue Skólavördustígur. C'est là que se trouve le Mokka, le quartier général des poètes de Reykjavík, que les gens de chez moi décrivent comme des petits rigolos du sud surtout doués pour passer leurs journées à traîner dans les cafés. Je m'arrête un instant à la devanture, ma valise à la main, et je plonge le regard dans l'atmosphère enfumée : il fait très sombre à l'intérieur et je ne distingue pas les visages des poètes.

En bas du champ du *Val-au-Saumon*

À côté de la sonnette, une étiquette indique *Lýdur et Ísey*, et juste dessous : *sonnette en panne*. Il y a un vieux landau garé devant la porte, la clôture est toute cassée et le jardinet devant la maison est en friche.

J'ai à peine le temps de frapper à la porte que mon amie l'ouvre d'un coup sec, un grand sourire aux lèvres. Elle porte une jupe verte et un bandeau rouge, elle s'est fait couper les cheveux court.

Ísey me serre dans ses bras et m'entraîne à l'intérieur.

— J'attends ton arrivée avec impatience depuis le début de l'été, dit-elle.

L'enfant assise sur la couverture posée par terre tape deux cubes l'un contre l'autre. Sa mère la prend au vol et me l'amène. La petite n'a aucune envie de lâcher ses jouets. Ísey lui ôte sa tétine, embrasse sa joue mouillée et fait les présentations. Un filet de bave pend de la tétine.

— Je te présente Thorgerdur. Thorgerdur, voici Hekla, ma meilleure amie.

Elle me tend la petite qui est le portrait craché de son père.

Le bébé gigote dans mes bras, elle sort sa langue en postillonnant.

Sa mère la reprend, elle la repose par terre puis m'étreint à nouveau. Elle va me faire visiter l'appartement.

— Je suis si heureuse de te voir, Hekla. Dis-moi ce que tu lis en ce moment. Moi, je n'ai pas le temps de lire. Alors que j'en ai tellement envie. Je peux m'estimer heureuse quand j'arrive à lire deux poèmes avant de m'endormir. J'ai pris une carte à la bibliothèque de la rue Thingholtsstræti, mais je n'ai personne pour garder ma fille le temps d'aller chercher des livres.

La petite délaisse ses cubes. Elle quitte la couverture en rampant, essaie de se relever en s'agrippant au lampadaire qui chancelle. Sa mère l'attrape et lui met sa tétine dans la bouche. La gamine la recrache aussitôt.

— C'est tellement prenant d'être seule avec un enfant, Hekla. Nous sommes ensemble toute la semaine, nuit et jour, pendant que Lýdur travaille sur des chantiers routiers dans l'Est. Je n'imaginais pas à quel point c'était merveilleux d'être mère. Avoir un enfant est ce qui m'est arrivé de plus beau. Je suis tellement heureuse. Je ne manque absolument de rien. Tes lettres m'ont maintenue en vie. Je me sens tellement seule. Tu sais, j'ai parfois l'impression d'être une mauvaise mère. Des fois, j'ai la tête ailleurs, alors que la petite fait tout pour attirer mon attention. J'ai si peur qu'il lui arrive quelque chose. Il faut constamment surveiller les enfants. Même quand on plie leurs langes. Elle pourrait avaler n'importe quoi. Le meilleur moment de la journée, c'est le matin, quand elle dort dans son landau. Alors je me fais un café et je lis le journal. Chaque jour, je retourne ma tasse pour lire l'avenir. Jamais je n'y vois la mort. J'ai tellement hâte que Thorgerdur soit adolescente pour qu'on puisse parler de littérature ensemble. Comme on faisait toutes les deux. Mais il va falloir que j'attende au moins douze ans. Elle a attrapé un rhume, ça la rend grognon et elle dort avec moi, mais quand Lýdur revient le week-end, il exige qu'on la mette dans son lit. On passe des disques d'Elly Vilhjálms sur l'électrophone et on danse. Il pense quitter les Ponts et chaussées. On économise pour acheter un petit terrain dans le quartier de Sogamýri. Il voudrait avoir un garage pour monter un atelier de tapissier ou d'encadreur. Il dit qu'on peut aussi gagner pas mal en empaillant des oiseaux. À moins qu'il trouve du travail à l'usine de ciment, dans ce cas, on déménagera à Akranes. Une nouvelle famille s'est installée en face le mois dernier. Lýdur les a aidés à transporter un buffet. Ils n'avaient pas beaucoup de meubles. C'est à peine si j'ai aperçu la femme. Elle doit avoir à peu près notre âge et ils ont quatre enfants. Le plus jeune a l'âge de ma Thorgerdur. Ils ont emménagé il y a quatre semaines et il n'y a toujours pas de rideaux au salon. Je me suis levée cette nuit pour boire un verre de lait, je suis restée un moment à la fenêtre de la cuisine à regarder la nuit. Elle était elle aussi à la fenêtre de sa cuisine, le regard plongé dans les ténèbres. Elle avait l'air vraiment abattue. Je voyais mon reflet dans la vitre, elle voyait le sien dans la sienne : deux femmes qui n'arrivent pas à dormir au cœur de la nuit. Puis l'espace d'un instant, nos visages se sont superposés, j'ai eu l'impression qu'elle était dans ma cuisine et moi dans la sienne, quelle idée saugrenue, tu ne trouves pas ? La seule personne avec qui je parle de toute la journée, c'est le poissonnier. En fait, ils sont deux. Ce sont des jumeaux, ils travaillent à tour de rôle. Je m'en suis rendu compte hier en les voyant ensemble. J'ai eu du mal à les différencier. C'est là que j'ai compris pourquoi le poissonnier me taquine seulement certains jours en m'appelant sa petite chérie : en fait, ce n'est pas le même homme. Ils emballent le poisson dans du papier journal, dans le *Morgunbladid*. J'ai dit à celui qui me servait : Trouvez-moi un poème ou une nouvelle plutôt qu'un faire-part de décès ou une nécrologie. En rentrant, j'ai soigneusement déballé mes filets d'aiglefin dans l'évier, la feuille intérieure était toute mouillée et presque illisible, mais sur l'autre, il y avait deux poèmes d'un de ces jeunes types qui passent leur journée au café Mokka. Excuse-moi, je suis trop bavarde ! Tu vas aller au Mokka et au 11 Laugavegur pour voir les poètes ? Un jour où je passais devant avec mon landau, je les ai vus verser dans leur café de la gnôle qu'ils cachent dans des sacs en papier. Les serveuses ferment les yeux. Que crois-tu qu'il arriverait si je plongeais dans ce nuage de fumée avec Thorgerdur dans les bras pour commander un café ? Ou si j'allais avec mon landau dans une exposition d'art abstrait au Musée national ?

— Rien ne t'empêche d'essayer.

Elle secoue la tête.

— Toi, tu mets des pantalons et tu traces ta route, Hekla.

Fatiguée, la fillette pose sa tête sur l'épaule de sa mère qui fait des allées et venues dans le salon. Ísey me propose de faire le tour de l'appartement le temps qu'elle aille la coucher.

Ça ne me prend pas longtemps.

Le salon est petit, et il y a très peu de meubles, un sofa vert tout en fanfreluches, un buffet orné de napperons en dentelle et de trois cadres dorés : la photo de mariage d'Ísey, cheveux relevés en un chignon crêpé, une photo de bébé, et une de nous deux. Je me penche pour l'examiner. Nous sommes souriantes devant le mur en pierre d'un enclos à moutons, je porte une salopette, un chandail en laine et les cuissardes de mon frère Örn, trois tailles trop grandes pour moi. J'ai passé la journée à courir après deux jeunes brebis dans un ravin. Ísey, elle, est restée avec l'association des femmes à beurrer des crêpes au seigle, frire des beignets, et préparer du chocolat chaud dans la marmite de trente litres sous la tente qui leur sert de cuisine. Elle a des boucles brunes, porte une jupe et un gilet boutonné, elle pose la tête sur mon épaule. Mais qui a pris cette photo ? Est-ce que c'était Jón John ?

Après un petit moment, Ísey reparaît, le regard embrumé de sommeil, et ferme doucement la porte de la chambre. Je crois l'avoir entendue chantonner la vieille berceuse que cette mère fredonne à son enfant avant de le jeter dans une cascade. Elle me répète à quel point elle est heureuse de me voir. Puis elle se poste à mes côtés devant le buffet et scrute longuement notre photo comme si elle se demandait qui sont ces jeunes filles. C'était il y a deux ans.

— J'ai fait cette jupe à partir d'une photo dans un magazine, dit-elle. Elle la regarde un long moment : Jón John m'a aidée pour le patron, ajoute-t-elle.

Puis elle prend sa photo de mariage.

— Ça me semble tellement étrange de me dire que c'est moi. Qu'à présent je suis une femme mariée, et mère de famille, qui vit à Reykjavík. Lýdur n'était qu'un gamin quand il est venu dans les Dalir installer des lignes électriques et planter tous ces poteaux avec les autres gars. Ils dormaient dans des baraques de chantier, il avait un électrophone portatif sur lequel il passait les Shadows, il avait une si belle voix qu'il pouvait dire n'importe quoi, moi, ça me rendait toute chose, et aujourd'hui, le voilà marié et père. Ça me fait drôle de me dire qu'il sera le dernier.

J'essaie de me rappeler la voix de Lýdur, mais rien de ce qu'il a pu dire ne me revient. Chaque fois que nous nous voyons, c'est mon amie qui parle. Lui, la plupart du temps, il se tait.

Aux murs, il y a deux grands tableaux qui tranchent avec la simplicité de l'intérieur, le premier représente un champ de lave tapissé de mousses avec un lac qui scintille au creux d'une faille, le second une montagne vertigineuse.

— Ce sont des Kjarval ? dis-je.

— Oui, ils viennent de ma belle-mère.

Elle m'explique que son beau-père n'aime pas ce qu'il peint.

— Selon lui, ça n'a rien à voir avec le mont Lómagnúpur tel qu'il le connaît. Il a travaillé en mer pendant trente ans et il ne veut voir que des bateaux sur ses murs, il ne veut pas de paysages et encore moins des rochers bariolés. Les rochers sont des bon Dieu de rochers, pas des couleurs, dit-il. Quant à ma belle-mère, elle refuse d'avoir l'océan dans son salon. Son père était marin, il est mort en mer quand elle était gamine et elle a choisi de vivre à un endroit d'où on ne voit pas la côte.

— Pas facile sur une île, dis-je.

— Sauf si on habite rue Efstasund.

Nous admirons les tableaux.

— Ma belle-mère a rencontré le peintre à l'époque où elle était cantinière sur un chantier dans l'Est. Elle trouve que c'est un type bien, mais elle rejoint mon beau-père pour dire qu'il n'est pas très doué question couleurs. Lýdur dit que si nous avions un garage, nous pourrions y entreposer ces deux toiles, en tout cas, au moins une. Il a même évoqué l'idée de les vendre. J'ai tellement pleuré quand il a dit ça qu'il n'a pas osé en reparler.

Elle me regarde d'un air grave.

— Je ne veux pas qu'on me prenne ces tableaux, Hekla. Je les contemple tous les jours. Il y a une telle lumière en eux.

Elle s'approche de la fenêtre pour observer la nuit. Quelques herbes fanées touchent la vitre.

— Tu vois où j'en suis. À quel point mon univers s'est réduit, de la vue sur le Breidafjördur, ses milliers d'îles et le ciel le plus immense de la Terre, à la fenêtre d'un sous-sol de la rue Kjartansgata.

— Cela dit, ta rue porte le nom d'un des personnages de la *Saga des Gens du Val-au-Saumon*, dis-je.

Elle sursaute.

— Je suis en-dessous de tout ! Je ne t'ai rien offert. J'avais préparé du riz au lait pour le dîner, je peux t'en réchauffer.

Je lui réponds que j'ai déjà mangé. Que j'ai pris un café et un morceau de quatre-quarts dans le Hvalfjördur. Elle me propose quand même des poires au sirop avec de la crème fouettée.

— C'est Noël quand tu viens me voir, Hekla !

J'ouvre ma valise et je lui tends un paquet enveloppé dans du papier kraft.

— Des macareux de la part de papa.

Je la suis dans la cuisine : une toute petite cuisinière Rafha, un réfrigérateur et une table pour deux. Elle me dit encore une fois combien elle est heureuse de me voir, ajoute qu'elle préparera les macareux quand Lýdur rentrera ce week-end et les met au frigo.

— Je n'aime pas cuisiner, mais j'apprends. L'autre jour, j'ai servi des boulettes de poisson Ori avec une sauce aurore, mais ce que Lýdur préfère, c'est le lompe faisandé. Ma belle-sœur m'a appris à faire la sauce aurore. Avec du concentré de tomates et de la farine.

Je lui dis que Jón John m'a proposé d'occuper la chambre qu'il loue rue Stýrimannastígur pendant qu'il est en mer. Le temps que je trouve un travail et un endroit à moi.

— Tu as terminé ton manuscrit ? demande-t-elle.

— Oui.

— Et tu en as commencé un autre ?

— Oui.

— J'ai toujours su que tu deviendrais écrivain, Hekla. Tu te souviens, quand on avait six ans et que tu as noté dans un cahier, de ton écriture enfantine, que la rivière avançait comme le temps ? Et que l'eau était froide et profonde. C'était bien avant que le grand Steinn Steinarr n'écrive *Le temps et l'eau*.

Elle hésite.

— Je sais que Jón John est ton meilleur ami, Hekla.

— Oui, côté masculin.

Elle me regarde droit dans les yeux.

— J'imagine bien que ça ne sera pas facile pour toi de travailler ici avec le bébé, mais s'il te plaît, reste jusqu'au week-end.

Je réfléchis : Ça fait trois jours. Je ne pourrai pas écrire ici.

Je lui réponds : D'accord, jusqu'au week-end.

Nous nous installons à la table de la cuisine,

chacune devant son bol de poires au sirop. Elle se tait. J'ai l'impression que quelque chose lui pèse.

— Je me suis acheté un journal intime l'autre jour et j'ai commencé à écrire.

Elle y va doucement.

— Eh oui, je suis tombée bien bas, Hekla.

Je pense aux carnets de bord de mon père, comment chaque jour il décryptait la météo en observant le glacier de l'autre côté du fjord. Quelle que soit son apparence, c'était toujours mauvais signe. Même par un ciel limpide, le glacier pouvait présager une grosse pluie sur les foins coupés.

— Tu écris sur le temps qu'il fait ? dis-je.

Elle soupire.

— J'écris sur ce qui se passe, mais comme il ne se passe pas grand-chose, j'écris aussi sur ce qui ne se passe pas. Sur ce que les gens disent et ce qu'ils ne disent pas. Par exemple, sur tout ce que Lýdur ne dit pas.

Elle marque une pause.

— Comme j'y ajoute des réflexions personnelles et des descriptions, le récit d'une simple course peut occuper plusieurs pages. Hier, je suis sortie deux fois : pour aller chez le poissonnier et pour jeter les poubelles. Quand je suis arrivée chez le poissonnier avec mon landau, j'ai fermé les yeux et j'ai senti un peu de chaleur sur mes paupières. Est-ce du soleil ou n'en est-ce pas ? me suis-je demandé. Alors j'ai eu l'impression de faire partie d'un tout bien plus vaste.

Elle est nerveuse.

— Je cache mon journal au fond du seau dont je me

sers pour le ménage. Lýdur ne comprendrait pas que je passe mon temps à écrire sur des choses qui n'existent pas ou n'existent plus.

Le passé, c'est le passé, dit-il.

Pourtant, le week-end dernier, alors que nous étions couchés, il m'a dit : Raconte-moi notre soirée, Ísa, comme ça, j'aurais l'impression que c'est celle de quelqu'un d'autre. C'est la plus jolie chose qu'il m'ait jamais dite. Ensuite, il m'a serrée dans ses bras.

Elle s'emmitoufle dans son gilet.

— Une fois que j'ai écrit dans mon journal, je me sens aussi bien que si j'avais plié tout le linge et fait tout le ménage.

Elle se lève pour nous resservir du café puis me demande de retourner ma tasse et de la poser sur la plaque encore tiède. Elle attend un moment avant de regarder la tasse dans la lumière.

— Je vois deux hommes, dit-elle. Tu en aimes un et tu couches avec l'autre.

Comme ce Joyce

Ísey m'installe sur le canapé sous le tableau du mont Lómagnúpur. Avant de sombrer dans le sommeil, je sors *Ulysse* de ma valise, j'approche le lampadaire et je lis quelques pages à la lumière orangée de l'abat-jour à franges.

À mon réveil, la mère et sa fille s'affairent déjà dans la cuisine. Mon amie fait manger du skyr à la petite qui me sourit et applaudit, le visage barbouillé de blanc jusqu'aux oreilles. Elle ne tient pas en place, ses pieds battent l'air en permanence, elle agite les bras comme un oiseau sans plumes qui tenterait de prendre son envol. Le regard vif, elle est en perpétuel mouvement. C'est flagrant : l'être humain n'est pas fait pour voler.

Ísey lui enfile une salopette et un bonnet de laine. Elle la met dans son landau qu'elle sort au jardin et l'endort en la berçant. Puis elle m'emmène dans la chambre pour me montrer quelque chose.

— C'est moi qui ai posé le papier peint. Qu'en pense la femme de plume ?

J'éclate de rire.

— C'est joli.

Les murs sont tapissés de motifs à grandes feuilles vertes et grosses fleurs orange.

— Tout à coup, j'ai eu envie de papier peint. Lýdur a bien voulu.

En sortant, elle laisse la porte entrebâillée.

— Il dit qu'il ne peut rien me refuser.

Elle remplit nos deux tasses, repose la cafetière sur la cuisinière et s'assied.

— Raconte-moi ce que tu lis en ce moment, Hekla. Ce pavé.

— C'est un roman de James Joyce.

— Comment écrit-il ?

— Comme aucun écrivain islandais. Toute l'histoire se déroule sur une journée. 877 pages. Je n'en suis encore qu'au début, le texte est tellement complexe.

— Je vois, répond-elle en coupant une part de

gâteau qu'elle pose dans mon assiette. Ce que je préfère, c'est écrire mon journal à la clarté du matin. Quand les contours du monde sont encore flous. Le jour peut mettre six ou sept pages à se lever. J'imagine que c'est un peu comme ça chez ce Joyce.

Elle va à la fenêtre. Le landau n'a pas bougé de la bordure de la maison, côté jardin, on n'en voit que les roues.

— J'ai rêvé, dit-elle comme pour elle-même, que j'étais dans une voiture qui remontait un chemin menant à une ferme. À mi-parcours, je descends et je coupe par les tourbières. Je tombe alors sur un creux entre deux touffes d'herbe, un creux rempli de myrtilles aussi grosses que des boules de neige : lourdes, juteuses et d'un beau bleu luisant comme le ciel d'automne quand l'air est immobile. Je cueille les baies à pleines mains, et j'en remplis une cuvette en un clin d'œil. Je suis seule. J'entends le chant d'un oiseau. C'est tout ce dont je me souviens. J'ai tellement peur, Hekla, que ces myrtilles représentent mes futurs enfants.

Nous sommes tous pareils, des baleines déboussolées et mortellement blessées

Ma valise est prête lorsque Davíd Jón John Johnsson vient me chercher. Il ne veut pas entrer ni prendre un café, parce qu'il a encore l'estomac tout retourné par le mal de mer, mais il pose tout de même son sac de marin pour nous embrasser. Il me serre fort et me garde dans ses bras un moment sans rien dire, je sens une légère odeur de poisson dans ses cheveux. Il porte une veste par-dessus son chandail raidi par le sel.

Puis il embrasse Ísey avant de jeter un coup d'œil dans le landau à côté de l'entrée où l'enfant dort paisiblement.

— Je suis venu dès que j'ai accosté, dit-il.

Il est pâle, ses cheveux ont poussé depuis notre dernière rencontre au printemps.

Il est encore plus beau qu'avant.

Il balance son sac par-dessus son épaule, et insiste pour prendre ma valise.

Quant à moi, je porte la machine à écrire.

Un courant d'air glacial balaie le boulevard Snorrabraut. Au bout, on devine la mer grise, et de l'autre côté de la baie, le mont Esja, masqué par le voile de brume qui recouvre les eaux. Nous suivons le sentier gravillonné à travers le parc du Kiosque à musique, en passant devant la statue de Jónas Hallgrímsson dans son pantalon tout fripé. Jón John s'arrête un instant, il pose son chargement et me serre hâtivement contre lui. Sous le regard du poète. Puis nous reprenons notre route.

Il me raconte qu'avant de prendre la mer, il a travaillé à la station baleinière.

— On turbine jour et nuit, par équipe, pour couper la viande, scier les os et les faire bouillir. J'étais le seul à ne pas prendre de bains de soleil avec les autres. Quand ils ont découvert que j'étais différent, j'ai eu peur qu'ils me jettent dans un chaudron.

Il y en avait quand même un qui était comme moi.

Je l'ai su dès que je l'ai vu.

Et lui aussi.

Un soir de repos, on est allés se promener.

Il ne s'est rien passé. Mais après, il m'a évité.

Il rabat sa mèche en arrière d'une main tremblante.

— Elles mettent si longtemps à mourir, ces immenses créatures. Leur agonie peut durer une journée entière.

Après la station baleinière, il a fait deux campagnes à bord du chalutier *Saturnus*.

— J'avais sans arrêt le mal de mer. Et l'estomac au bord des lèvres. Je n'arrivais même pas à dormir. L'odeur du poisson et des écailles envahissait tout, jusqu'à ma couette et mon oreiller. La mer était démontée. Je n'ai jamais réussi à prendre le roulis comme un vrai marin. Du haut de ma couchette, je voyais la ligne d'horizon qui montait et descendait. J'ai mis un rideau au hublot, mais ça n'a pas changé grand-chose. Les autres me refilaient les tâches les plus ingrates, mettaient sans cesse ma virilité à l'épreuve. Ils ne dessoûlaient jamais et n'arrêtaient pas de s'en prendre à moi. J'étais tellement épuisé que je n'arrivais même plus à lever les bras. Chaque jour, j'avais l'impression de mourir.

Il hésite.

— Ils ont essayé de se glisser sous ma couette, mais je dormais tout habillé, en me disant que je risquais moins d'être violé.

Et puis il y a eu les virées chez les putes. Comme

ils ont remarqué que je n'étais pas très porté sur les femmes, ils ont décidé de faire de moi un homme en me payant une prostituée quand on a accosté à Hull.

Je le regarde, il est pâle comme un linge. Devant nous, deux couples de cygnes nagent sur l'étang de Tjörnin.

— J'ai prétendu que je ne voulais pas tromper ma fiancée.

Il détourne les yeux.

— Je te jure, Hekla, que je ne survivrai pas à une autre campagne de pêche. Jamais je ne remonterai sur ce rafiot rouillé. Je suis prêt à faire n'importe quoi plutôt que de reprendre la mer.

Il s'interrompt un instant.

— Heureusement, le second du capitaine me protégeait. Il peint des goélettes lorsqu'il est à terre, mais il ne veut pas que ça se sache.

Cela me fait penser au beau-père d'Ísey qui aime ce genre de tableaux.

— Un jour, le cuisinier était ivre mort et on n'a pas réussi à le réveiller. Le second m'a envoyé chercher de l'agneau au congélateur en me demandant de préparer une soupe à la viande. La cuisine était le seul endroit où j'avais la paix. C'est aussi là qu'ils planquaient ce qu'ils ramenaient en contrebande. Des téléviseurs Blaupunkt, des cartouches de cigarettes et de l'alcool de genièvre. Dans une cachette dans le mur derrière le garde-manger, mais aussi dans le congélateur.

La lune est ma plus proche voisine

Nous marchons en direction de la rue Stýrimannastígur, à deux pas du chantier naval.

— Dis-moi, Hekla, tu écris ?

— Oui.

— C'est bien.

Nous nous arrêtons devant une maison en bois recouverte de tôle piquée de rouille. Un escalier très raide mène à la chambre qu'il loue sous les combles. Il glisse la clef dans la serrure et me fait remarquer qu'elle est grippée.

J'embrasse les lieux du regard.

Il y a un divan, une armoire dans un coin et une bibliothèque à côté du lit ; une machine à coudre est installée sur une petite table juste sous la lucarne. La salle de bain commune est au sous-sol. Et par la lucarne, on peut voir les étoiles quand le ciel est dégagé. Il a vu sa première étoile il y a trois semaines, précise-t-il.

— Tu pourras travailler ici, ajoute-t-il en prenant la machine à coudre qu'il range dans le bas de l'armoire.

Je pose ma Remington sur la petite table.

En six mois, il a déménagé trois fois. Au début, il louait une chambre en sous-sol rue Adalstræti, mais elle était régulièrement inondée aux grandes marées. Puis il s'est installé rue Hafnarstræti, juste en face du commissariat.

— Comme ça, la police savait où me trouver. Les

homosexuels sont surveillés de près, poursuit-il. Des agents passaient devant chez moi deux fois par jour, ils ralentissaient pour espionner par la fenêtre. Les enfants aussi adorent épier Sodome, comme les adultes, voilà pourquoi je préfère louer sous les combles, et je risque moins d'être cambriolé. Même s'il n'y a rien à voler, à part la machine à coudre.

— Le semaine prochaine, je chercherai un travail et une chambre, dis-je.

— Il y a assez de place pour deux ici, répond-il.

Il baisse les yeux.

— D'autant que je ne passe pas toutes mes nuits chez moi.

Je m'assieds sur le lit. Il fouille dans son sac d'où il sort un manteau en daim marron.

— Tiens, c'est le dernier cri en Grande-Bretagne. Essaie-le, dit-il avec un sourire.

Je me lève et je l'enfile. Il retourne son sac et étale d'autres vêtements sur le lit : un pull à col roulé violet, une minijupe, une sorte de robe chasuble, et une jupe en velours côtelé. Pour finir, il sort une paire de bottes en cuir à talons, avec une fermeture éclair sur le côté.

— Je ne veux pas que tu dépenses tout ton argent pour moi, dis-je.

Il me raconte que quand ils ont accosté, le second l'a envoyé faire des courses en ville. Il en a profité pour acheter ces vêtements pendant que tout l'équipage se soûlait dans un tripot du port.

— Comment as-tu réussi à avoir des devises ?

— J'ai des contacts. Je connais un chauffeur de taxi

qui travaille à la base américaine. Ces gens-là ont des dollars.

Il ne détourne pas le regard quand je me change au milieu de la chambre. J'essaie d'abord la robe et les bottes en cuir. Il me demande de faire quelques pas. Deux mètres à droite, deux à gauche, deux vers le port, deux vers le cimetière.

— Elle se porte courte et évasée. L'ourlet doit tomber cinq centimètres au-dessus du genou, précise-t-il.

Je retire la robe, je passe la jupe et je fais quelques allers-retours. Il m'observe en silence, visiblement ému. Je me rhabille et je viens m'asseoir sur le lit à côté de lui.

— La prochaine fois, je t'achèterai un tailleur-pantalon et une ceinture.

Je souris.

— Il y en a qui ne reviennent pas, Hekla. Ils se soûlent et ils n'émergent qu'une fois qu'on a levé l'ancre. Moi aussi, j'ai envisagé de disparaître et de rester à l'étranger, reprend-il après une brève hésitation. Mais j'avais déjà acheté les bottes, et je voulais les voir sur toi.

Il se lève, s'approche de la lucarne. Il me tourne le dos.

— Je te jure, Hekla, je ne vais pas passer ma vie ici, sur ce maudit bout de terre oublié de Dieu. Je n'ai pas la force d'affronter cette mer déchaînée. Je veux partir. Voir le monde. Autre chose que Hull et Grimsby. Je veux travailler dans un théâtre, créer des costumes pour des comédies musicales. Ou dans une maison de couture. Il y a plus de gens comme moi à l'étranger. Beaucoup plus.

Je crucifie la chair par d'excessives jouissances

Je me réveille au milieu de la nuit, au retour de Jón John. Il s'appuie à la porte, puis au mur, bute contre une chaise, s'agrippe à la table et se laisse tomber à côté de moi sur le lit, tout habillé. Je lui fais un peu de place pendant qu'il enlève ses chaussures. Il lui faut un temps considérable pour défaire ses lacets. On dirait qu'il n'a pas dormi. Il est soûl et sent l'after-shave.

Je me redresse, j'allume la lampe de chevet.

Il est en piteux état, il a les genoux couverts de boue et des griffures sur le visage. On dirait qu'il y a des traces de terre dans ses sourcils, comme si on lui avait enfoncé la tête dans la boue. Je l'aide à se déshabiller, puis j'attrape une serviette que je vais mouiller au lavabo du sous-sol pour lui laver la figure.

Il me regarde les yeux écarquillés pendant que j'ôte de ses plaies les résidus de terre.

— Qu'est-ce qui t'est arrivé ?

— Rien.

— Tu étais où ?

— À Heidmörk, sur la lande, répond-il avant de s'allonger.

Puis il se recroqueville.

— Je ne suis qu'un pauvre type.

— Allons, allons, dis-je.

Il reprend après un bref silence :

— Ils étaient deux. Je suis allé au bar Hábær et j'ai rencontré un homme qui m'a invité à faire un tour en voiture. Sur le trajet, il est passé chercher un ami.

— Il faut aller en parler à la police.

— Ça ne sert à rien. Tu ne sais donc pas comment ils traitent les pervers ? Je suis un criminel, un déviant, un malade. Je suis une infamie.

Je le couvre avec la couette.

— D'ailleurs, l'un des deux est policier et c'est un membre actif de la ligue anti-homosexuels.

Jón John renifle.

— On nous considère comme des pédophiles. Les mères font rentrer leurs enfants dès qu'elles aperçoivent un homosexuel à l'horizon. On force leur porte, on saccage leur maison. On leur crache dessus. S'ils ont le téléphone, ils reçoivent des menaces de mort au milieu de la nuit.

Il se tait un long moment. Je me demande s'il ne s'est pas endormi.

— C'est si difficile de ne pas avoir peur, souffle-t-il sous la couette.

— Tu es le meilleur des hommes que je connaisse.

— J'adore les enfants. Je ne suis pas un criminel.

Je lui caresse les cheveux.

— Ces types veulent juste coucher avec moi quand ils ont bu, et après, ils ne m'adressent même plus la parole. Pendant qu'ils se rhabillent, il faut leur jurer dix fois qu'on ne dira rien à personne. Ils m'emmènent jusqu'aux landes de Heidmörk, et je peux m'estimer heureux s'ils me ramènent en ville.

Il se tourne vers le mur. Je m'allonge derrière lui et je le prends dans mes bras. Je le serre contre moi comme on tient un enfant pour qu'il ne tombe pas du lit.

— Demain, j'irai acheter de la teinture d'iode à la pharmacie, dis-je.

Il m'attrape la main. Nous ne faisons plus qu'un. Il tremble.

— J'aimerais être différent, mais je ne peux pas changer ça. Les hommes sont faits pour aller avec les femmes. Moi, je couche avec des hommes.

Il se retourne vers moi.

— Tu sais, Hekla, que juste avant de plonger dans l'océan, le soleil émet un rayon vert à l'horizon ?

Demain matin, je nettoierai la boue aux genoux du pantalon que Davíd Jón John Johnsson a envoyé valser pendant la nuit.

With love from John

En sortant de la pharmacie, j'achète le journal *Vísir* et je consulte les petites annonces en dernière page. On recherche une jeune fille à la laverie Fönn et à la boulangerie, et une fille de cuisine à l'hôtel Borg.

À mon retour, je retrouve Jón John allongé sur le ventre, le visage enfoui dans les draps et les bras écartés, comme un crucifié.

Les *Psaumes de la Passion* de Hallgrímur Pétursson sont ouverts à côté de lui.

Il ne veut rien me dire de la nuit dernière.

— Ça va ?

Il se redresse, écarte une mèche de son front, il a l'œil injecté de sang.

— Mon âme charrie des flots noirs.

Je pose la teinture d'iode et les bandages achetés à la pharmacie, puis je retire mon manteau en daim.

— Merci beaucoup, dit-il, sans me regarder.

Il observe ses mains, paumes ouvertes et tournées vers le ciel.

— Je ne rentre dans aucune catégorie, Hekla. Je suis un accident qui n'aurait jamais dû voir le jour. Je n'arrive pas à trouver ma place. Je ne sais pas d'où je viens. Cette terre n'est pas la mienne. Je ne la connais pas sauf quand on m'y enfonce le visage. Je sais le goût de la poussière.

Je m'assieds à côté de lui. Il se pousse pour me faire de la place.

— Ma mère a vu mon père trois fois et elle n'a couché avec lui qu'une seule fois. Un coup en passant et voilà. Le mal était fait. Elle a travaillé un an à Reykjavík, au central des taxis Hreyfill, sans jamais aller à aucune soirée avec les soldats. Un jour, il est passé à la station. Elle m'a dit qu'il était coiffé comme un acteur de cinéma, poli et élégant, que l'ombre de sa barbe était noire et son odeur différente de celle des hommes islandais. Elle s'est confectionné une robe bleu ciel et il lui a offert en partant un exemplaire en anglais de *L'Adieu aux armes* d'Ernest Hemingway. À l'intérieur, il avait écrit : *With love from John*. Ma mère ne comprend pas l'anglais, mais elle a gardé le livre dans le tiroir de sa table de chevet.

C'est tout ce qu'elle a eu de mon père : un autographe et moi. Du jour au lendemain, il était parti. Le navire a levé l'ancre sans qu'il ait pu lui dire au revoir. Elle ne connaissait pas son nom de famille, seulement qu'il s'appelait John, et l'armée a refusé de l'aider. Elle n'avait pas son adresse. Une de ses amies qui vivait à Borgarnes et avait eu, elle aussi, un enfant avec un soldat, connaissait l'adresse du père. Elle lui a donc envoyé une lettre, mais n'a reçu pour toute réponse qu'une carte postale avec la photo d'un cimetière et au verso : *Sorry about the baby, good luck and adieu*. Elle a d'abord cru que le mot *adieu* signifiait *à bientôt*. Il lui a fallu longtemps pour découvrir son véritable sens. Maman se disait que le navire de John avait été torpillé par un sous-marin allemand. On retrouvait parfois dans le Breidafjördur des corps de soldats rejetés par la mer. Elle a arpenté les rives du fjord, espérant y retrouver la dépouille du père de son enfant. Elle était sûre de le reconnaître, même si l'océan l'avait abîmé. Elle n'est jamais retombée amoureuse. Il n'y a eu aucun autre homme dans sa vie.

Je suis un enfant de la guerre, un enfant illégitime. Un enfant de père inconnu.

Ta mère n'est qu'une pute à Amerloques, me criaient les autres gamins.

En fait, il n'était pas américain, m'a-t-elle confié bien plus tard. Ton père portait un kilt quand je l'ai rencontré. Un kilt à carreaux en laine avec une ceinture. Et rien en dessous.

Le poète des cygnes

— Hekla, s'il te plaît, lis-moi quelque chose.

— Tu as envie de quoi ? Tu veux du Hallgrímur ?

J'attrape les *Psaumes de la Passion*, ouverts sur la couette.

— Hallgrímur souffrait, exactement comme moi, dit Jón John.

Je regarde les livres alignés dans les rayonnages à côté du lit. J'en sors quelques-uns dont j'examine les couvertures. Contrairement à ceux de la bibliothèque de la ferme, chez moi dans les Dalir, beaucoup sont en langue étrangère. En dehors de la biographie de Lord Byron, en islandais, il y a là un roman de Thomas Mann et une pièce d'Oscar Wilde : *The Importance of Being Earnest*, mais aussi des recueils de poèmes de Rimbaud, Verlaine et Walt Whitman. Je suis étonnée de découvrir que certains de ces livres sont écrits par des femmes : Virginia Woolf, Emily Dickinson et Selma Lagerlöf.

— C'est ma bibliothèque homo, s'amuse Jón John, allongé sur le lit.

Il se redresse, prend un livre, l'ouvre, le feuillette jusqu'à y trouver les vers qu'il cherche :

Si je meurs
Laissez le balcon ouvert

— C'est mon poète préféré, Federico García Lorca.

Il me tend le recueil. La dédicace *To Johnny boy* est écrite à la plume sur la page de garde. Je le repose sur l'étagère.

— Cadeau d'un ami de la base américaine.

Je lui explique que je veux apprendre l'anglais et que je lis un énorme pavé écrit par un auteur irlandais en m'aidant d'un dictionnaire, mais que c'est une lecture difficile et que j'avance lentement.

— Je demanderai à mon ami s'il peut te donner des cours. Tu n'auras pas besoin de coucher avec lui, ajoute-t-il, je m'en charge.

Il hésite.

— Il serait renvoyé de l'armée s'il n'était pas *officer*.

Je prends un recueil de poèmes qui tranche avec les autres : *Plumes noires* de Davíd Stefánsson. Je le feuillette.

— Maman a attendu un an avant de me baptiser, au cas où un homme péri en mer se serait échoué sur le rivage. Pendant ce temps, elle lisait ses poètes préférés. Elle n'arrivait pas à décider si elle voulait m'appeler Davíd Stefánsson ou Einar Benediktsson. Elle hésitait entre les *Plumes noires* et le *Scintillement de la mer*.

En fin de compte, elle s'est dit qu'il y avait trop de tumulte et de déferlantes chez Einar. Et trop de Dieu dans ses vagues, m'a-t-elle confié. Mon destin a donc été marqué du sceau de celui qui chantait le soleil couchant et les nuits voluptueuses. J'ai reçu en baptême le nom du poète des cygnes islandais et celui d'un soldat inconnu, disparu dans le gris menaçant de la mer.

Davíd Jón John Stefánsson Johnsson.

Le pasteur prétendait que c'était trop long pour le formulaire, il a proposé à ma mère de laisser tomber Stefánsson.

Et les gens risqueraient de croire que c'est mon fils caché, lui aurait dit le révérend Stefán en riant.

Elle se disait aussi que ça m'aiderait à me débrouiller à l'étranger d'être à la fois Jón et John.

Quand tu quitteras l'Islande en quête de tes racines, tu pourras te faire appeler DJ Johnsson, disait-elle.

— Maman a toujours su que j'étais différent, conclut-il après un silence.

DJ Johnsson se lève et va en chancelant vers le placard qu'il ouvre pour en sortir une cape de plumes noires dont il se couvre les épaules. On dirait un aigle qui s'apprête à prendre son envol depuis le bord d'une falaise.

— Maman avait accroché dans le salon une photo du poète Davíd Stefánsson portant un corbeau noir. Elle l'avait découpée dans le journal et encadrée. J'ai récupéré des plumes de corbeau et je m'en suis fait une cape, dit-il.

— Viens, allons au Hressingarskálinn, je t'offrirai une crêpe et un café.

Il range ses plumes dans le placard et enfile sa veste.

— Hélas, Hekla, je n'ai pas comme toi les ailes d'un poète.

Existentialistes et homosexualistes

Sur un banc au pied de la façade sud d'Útvegsbanki, le Crédit maritime, deux clochards profitent d'un timide rayon de soleil en buvant de la gnôle au goulot d'une bouteille cachée dans un sac en papier. Nous nous installons près de la fenêtre et commandons un café. Jón John ne veut pas de crêpe. Des poètes sont assis à une table dans le fond, ils fument la pipe. L'un d'eux prend la parole, il fait des grands gestes comme un chef d'orchestre, les autres le regardent en hochant la tête. L'un des plus jeunes se tient à l'écart de la discussion et m'observe.

— Ils discutent sans doute de rimes ou d'existentialisme, dit Jón John.

Dans la rue presque déserte, un homme d'âge mûr, vêtu d'un imperméable noir et d'un chapeau, sort de la banque, un porte-documents à la main, et marche d'un pas pressé le long de la rue Austurstræti.

— Celui-là est homosexuel, dit Jón John en le désignant d'un signe de tête. Il est employé de banque. Il n'aime que les jeunes hommes. Il fréquente un type que je connais.

Il avale une gorgée de café, puis appuie la joue sur sa main.

— La plupart des hommes qui aiment les garçons sont pères de famille, ils ne sont homosexuels que le week-end. Ils se marient pour cacher ce penchant contre-nature. Leurs femmes sont au courant. Elles les connaissent. Et ceux qui viennent de province prétendent qu'ils ont une petite amie et un enfant, chez eux à la campagne.

Il baisse les yeux et enfouit son visage dans ses mains.

— Je n'ai pas envie de devenir comme eux et de vivre caché. Je veux juste aimer un garçon comme moi, lui tenir la main dans la rue. Ça n'arrivera jamais, Hekla.

— Tu as rencontré quelqu'un ?

— La première fois que j'ai couché avec un homme, c'était après mon arrivée à Reykjavík. Il m'a demandé si j'avais de l'expérience. Je lui ai répondu que oui, j'avais peur qu'il me repousse si je lui disais la vérité. Il était à peine plus vieux que moi, mais il avait couché avec des soldats de la base américaine. Il avait un faible pour l'uniforme.

La première fois n'arrive qu'une fois

— Tu as été le premier, dis-je.

Il sourit.

— Je sais.

Il vivait au village avec sa mère. J'avais entendu pas mal d'histoires sur son compte. Qu'il savait coudre à la machine, qu'il avait fait des rideaux pour sa mère et qu'il les avait installés à la fenêtre de la cuisine pendant qu'elle était au travail. Qu'il lui avait aussi fait une robe pour Noël. La première fois que je l'ai vu, il était le plus petit des garçons et moi, la plus grande des filles. Puis je suis devenue adolescente et j'ai arrêté de grandir. Lui, au même moment, il s'est mis à pousser. Il portait un blouson comme celui de James Dean dans *La Fureur de vivre*.

Le bruit courait qu'il l'avait confectionné lui-même à partir de chutes de peaux qu'on lui avait données aux abattoirs et qu'il avait réussi à transformer de l'agneau en cuir de vachette.

Comme les autres jeunes, on travaillait aux abattoirs à l'automne. C'est là que nous nous sommes rencontrés, au milieu de carcasses de mouton suspendues à des crochets dans une pièce au sol cimenté et désinfecté au chlore. Ma tâche a d'abord consisté à tourner le sang avant qu'il ne soit stocké dans les bidons, puis on m'a affectée à la pesée des cœurs, des reins et des foies. Lui, il travaillait dans la chambre froide où il mettait la viande dans des sacs de toile couleur crème. Un jour, je suis allée le chercher dans son nuage blanc de givre et nous avons mangé notre casse-croûte dehors, assis au pied du mur, sous le soleil transparent et frais de l'automne. L'odeur ferreuse du sang nous collait à la peau. Il était différent des autres garçons. Il n'essayait pas de m'embrasser. C'est à ce moment-là que j'ai décidé qu'il serait le premier. On n'avait pas non plus l'embarras du choix dans la petite communauté des Dalir.

Le moment venu, j'ai pris la bouteille de cognac que mes parents avaient trouvée sur le rivage après un naufrage, et qui depuis lors était restée dans le placard, intacte.

— Personne ne s'en apercevra, ai-je pensé.

Il nous fallait trouver un endroit. Nous avons déambulé un moment en quête d'une cuvette tapissée de bruyères ou d'un creux qui n'avait pas été fauché et où les herbes folles nous montaient jusqu'aux cuisses. Le plus important, c'était d'échapper à la curiosité de mon cadet de deux ans qui passait son temps à nous suivre. Il voulait entrer au lycée agricole pour reprendre la ferme, deux cent quatre-vingts moutons et dix-sept vaches, quatorze rousses et trois tachetées. Il s'était récemment mis à la lutte islandaise, le sport national, et s'était inscrit à la Maison des jeunes des Dalir. Cela signifiait qu'il tentait de se mesurer à tous les mâles qui croisaient sa route, y compris au révérend Stefán. Mes parents devaient parfois excuser son comportement auprès de leurs invités qu'il provoquait et voulait défier au combat. Ils le considéraient comme un parfait étranger, comme s'il ne faisait pas partie de la famille, un adolescent n'obéissant qu'à ses propres règles et n'écoutant que ses lubies.

Il s'entraîne pour la coupe de la Ceinture de Grettir, expliquaient-ils, gênés. L'expression de ma mère trahissait son regret de lui avoir donné le noble nom d'Aigle. Lors de ses premières tentatives, il attrapait un invité par la ceinture ou par la manche de son vêtement et, par un mouvement de torsion, essayait de le soulever et de le faire tomber à la seule force de ses bras sans perdre lui-même l'équilibre. Peu à peu, sa technique se perfectionna, il gagna en souplesse et ne tarda pas à exiger de son adversaire qu'il se plie aux règles de la lutte : posture de base… attaque, attaque… plaquage et défense…

C'était un adolescent nigaud et boutonneux, il écoutait Cliff Richard, et sa voix qui muait était chevrotante. Les invités candides avançaient, reculaient et virevoltaient.

Bras détendus… attaque… dans le sens des aiguilles d'une montre… ânonnait mon frère.

Au bout d'un moment, nous avons trouvé l'endroit idéal, derrière la colline de la bergerie. Juste à côté des grands brins d'herbe à siffler. Nous nous sommes allongés, les bras le long du corps, en regardant le ciel et les stratocumulus rabotés par le vent. *Pour ma première fois, j'aurais préféré des cumulus ou bien un ciel limpide*, ai-je écrit le soir-même. Seuls cinq centimètres nous séparaient, ce qui est le plus petit espace possible entre une femme et un homme sans qu'ils se touchent. Il portait une chemise bleue en flanelle, moi une jupe rouge que j'avais choisie spécialement pour l'occasion. Nous étions tous deux en cuissardes.

— J'avais bien plus envie de toucher le tissu de ta jupe que ce qu'il y avait en dessous, m'avoue-t-il aujourd'hui.

Et c'est exactement ce qu'il a fait ce jour-là, il m'a demandé s'il pouvait toucher le tissu. C'est du jersey ? a-t-il dit. Il a retourné l'ourlet, regardé la doublure et passé son doigt le long de la couture.

— C'est toi qui a fait l'ourlet ?

— Tu as peur de me toucher ? ai-je rétorqué.

Il s'est alors occupé de ce qui se trouvait sous le tissu

et sa main s'est dirigée vers l'élastique de ma culotte. Il était temps de mettre mon corps en jeu. De devenir une femme. J'ai remonté ma jupe, il a baissé son pantalon.

Ensuite, nous sommes restés assis côte à côte au sommet de la colline, à regarder les algues sur le rivage et les îles du fjord, il n'avait pas remonté ses bretelles et fumait. J'ai compté trois phoques sur l'estran.

C'est là que je le lui ai dit.

Que j'écrivais.

Tous les jours.

Que j'avais commencé par écrire sur le temps qu'il faisait, comme mon père, et sur les changements de lumière au-dessus du glacier de l'autre côté du fjord, que j'avais d'abord décrit les nuages blancs qui flottaient comme un écheveau de laine sur l'aire de glace, puis que j'avais ajouté des gens, des lieux et des événements.

— J'ai l'impression que beaucoup de choses se produisent en même temps, qu'une foule d'images et de sentiments surgissent en moi à chaque instant. Comme si j'étais au commencement, que c'était le premier jour du monde, que tout était neuf et pur, dis-je. Comme un matin de printemps dans les Dalir : je rentre de la bergerie, je viens de nourrir les bêtes, le banc de brume qui repose sur les eaux du Breidafjördur s'élève puis se dissipe. Je tiens ma baguette de chef d'orchestre et j'annonce au monde qu'il peut désormais exister.

En échange, le plus beau jeune homme des Dalir

m'a confié qu'il aimait les garçons.

Chacun gardait le secret de l'autre.

Nous étions à égalité.

— Les gens se demandaient pourquoi un si joli garçon n'avait pas d'amoureuse. Je savais que j'étais homosexuel. La seule chose qui pouvait me sauver la mise était de coucher avec une fille. Je suis heureux de l'avoir fait avec toi.

Tu l'as fait et pas moi

Le lendemain, je me fais cuisiner parce que la bouteille de cognac disparue du placard en plein jour est revenue à sa place, délestée de quatre gorgées.

C'est Örn qui dirige les interrogatoires. Il est furieux.

Mon frère prétend avoir été témoin d'un événement auquel il n'est pas censé avoir assisté.

— Je vous ai vus courir vers le haut de la colline, dit-il. Puis vous avez disparu.

Il me talonne, il me pousse dans mes retranchements en me harcelant de questions.

Il veut savoir où nous sommes allés et ce que nous avons fait. Pourquoi il ne pouvait pas venir avec nous. Si Jón John a parlé de lui et si oui, ce qu'il a dit, et s'il a mentionné leur combat de lutte. Il persiste les jours suivants. Toutes ses questions tournent finalement autour de Jón John. Est-ce qu'il veut s'en aller et si oui, où ça ? À Reykjavík ? Qu'est-ce qu'il compte faire là-bas ? Le reste du temps, il boude.

— Traîtresse ! finit-il par crier dans mon dos de sa voix de fausset.

À ce moment-là, je me souviens du jour où lui et Jón John se sont affrontés. Étrangement, leur combat faisait penser à la parade nuptiale d'un couple d'oiseaux plutôt qu'à de la lutte islandaise, on aurait dit des embrassades maladroites et non une joute.

Tout à coup, ils étaient tous les deux allongés dans le champ et Jón John s'était libéré de son étreinte.

— Tu l'as fait ? me demande Ísey quand je la revois.

— Oui.

— Tu l'as fait et pas moi, dit-elle.

Ce qui signifiait que ma meilleure amie devait le faire également.

En août, des ouvriers sont venus installer les lignes électriques. Ísey est tombée enceinte, elle a déménagé à Reykjavík et s'est mariée. Jón John l'a suivie peu après avec sa machine à coudre, espérant être embauché comme costumier au Théâtre national. Ou, à défaut, chez Vogue, le magasin de tissu rue Skólavördustígur.

— Tu m'as sauvé la vie, Hekla. Quand nous sommes devenus amis, les gens m'ont laissé tranquille. Et j'ai pensé : Elle est comme moi.

Le skyr

Aujourd'hui, j'ai deux entretiens d'embauche, l'un dans une crèmerie qui fait également boulangerie, l'autre à l'hôtel Borg. Je commence par la crèmerie.

Le boulanger a la quarantaine, il me reçoit vêtu d'un tablier taché dans une pièce au sol cimenté, traversée en son milieu par une rigole, et dont les murs sont couverts de carreaux en faïence noir et blanc. Il me tutoie et me fait visiter la boutique : il me dit où il faut ranger le pain blanc, le pain de mie et le pain de seigle, où disposer les escargots nappés de glaçage et les vínarbraud. Et comment les couper pour en faire des parts.

— Tu pourras emporter les restes chez toi, précise-t-il.

Finalement, il veut que je fasse un essai et que je lui serve une pâtisserie au comptoir.

— Tu n'as qu'à imaginer que je suis lycéen, dit-il d'un ton enjoué.

Sur quoi, il va chercher le seau de skyr dans le frigo et me demande d'en emballer une portion dans du papier sulfurisé.

Il m'indique la marche à suivre.

— Il faut plier les coins de la feuille par en dessous.

Il dit qu'il rentrera dormir chez lui quand j'arriverai le matin et qu'il reviendra dans l'après-midi pour faire la caisse. Moi, je devrai nettoyer la boutique et tout remettre en ordre. Je me tiens au milieu du magasin. Il me toise.

— La marchandise va se vendre comme des petits pains avec une fille comme toi derrière le comptoir, tous les garçons du lycée vont en rester bouche bée. Avec une taille et des hanches pareilles.

Puis il me demande où j'habite.

— Chez un ami, le temps de trouver une chambre, dis-je.

— Ton fiancé ?

— Non.

Il me dévore du regard.

— Tu pourrais habiter chez moi, j'ai une chambre libre au sous-sol.

L'hôtel Borg recherche une fille de cuisine

La deuxième option, c'est que je sois embauchée à l'hôtel Borg comme fille de cuisine. J'attends au bar l'homme avec qui j'ai rendez-vous. Le serveur se penche vers moi, il tapote le comptoir en bois sombre :

— C'est du palissandre, dit-il.

Jón John m'a raconté que les homosexuels se retrouvent au bar de l'hôtel Borg tous les week-ends et qu'il lui arrive parfois d'observer les hommes qui dansent avec les femmes dans les ors de la salle de bal.

J'en profite pour examiner l'imposant tableau qui représente le mont Esja et les îles de la baie qui le sépare de la ville. Vers le fond du détroit, on aperçoit un bateau de pêche qui se laisse porter, tranquille. Au premier plan, sur l'estran : des goélands et des macareux moines au bec bigarré. Le soleil sombre dans la mer.

Le responsable m'invite à le suivre dans son bureau où il prend quelques notes.

— Donc vous êtes originaire des Dalir ?

Il me dévisage.

— Nous n'allons pas cacher une reine de beauté dans les cuisines, vous travaillerez plutôt en salle.

Il se lève.

— Vous êtes engagée, vous commencez lundi à neuf heures. Encore une petite chose, mademoiselle Hekla, pour le service, vous serez en jupe et pas en pantalon. Vous aurez votre uniforme lundi.

Le chef de rang me conduit à travers l'épais nuage de fumée qui flotte dans la salle de restaurant, entre les nappes blanches amidonnées – sucriers et pots de crème en argent sur les tables, grands lustres en cristal au plafond. Il me met au parfum à voix basse et m'explique que l'essentiel de la clientèle est constituée de vieux messieurs, considérés comme des habitués, qui arrivent à midi pour le buffet froid que l'établissement propose au déjeuner, la salle est alors bondée. Il y a aussi des vieilles dames qui viennent, souvent à deux ou trois, prendre un café et un gâteau en milieu de journée. Le bar n'est ouvert que deux heures par jour, entre onze et treize heures, c'est le moment où les bourgeois chics viennent se soûler, et ils deviennent parfois pénibles ou ingérables. Après, c'est le tour des lycéens qui commandent un café, et rien d'autre, et restent attablés des heures à fumer. Ils sèchent les cours, se promènent avec un recueil de poèmes dans la poche et rêvent de devenir écrivains. Dès qu'une de leurs œuvres est publiée dans le journal du lycée, on ne les voit plus, ils préfèrent le Hressingarskálinn, le Mokka ou le 11 Laugavegur, conclut-il.

Une femme en jupe noire, tablier blanc et coiffe de serveuse sur une épaisse chevelure crêpée relevée en chignon, est en train de servir le café à un groupe d'hommes assis autour d'une table ronde. Elle m'observe attentivement.

— Vous serez deux filles dans la salle de restaurant, en plus des serveurs, explique le chef de rang.

Enfin, il m'emmène dans la salle de bal où Elly Vilhjálms chante avec l'orchestre de Jón Páll le week-end, il me montre les arrière-salles et les toilettes, précise que l'hôtel a quarante-six chambres et peut accueillir soixante-treize clients. La semaine prochaine, on attend la visite de Lyndon B. Johnson, le vice-président des États-Unis, et bien qu'il ait choisi de descendre à l'hôtel Saga qui vient juste d'ouvrir, une partie de son équipe sera hébergée ici, à l'hôtel Borg. Il baisse encore un peu plus le ton pour me confier que le vice-président se passionne pour la nature et les animaux, et qu'il voudrait visiter une ferme islandaise. Il désigne une table d'un signe de tête.

— C'est l'un des plus gros éleveurs de moutons d'Islande, assis là-bas, dans le coin, avec le directeur des Égouts de Reykjavík. Il est probable que madame Johnson ira visiter sa ferme.

Pour conclure ce tour d'horizon, il m'explique le fonctionnement de la pointeuse.

Quand nous traversons la cuisine, la femme qui servait le café quelques instants auparavant est en train de fumer une cigarette devant l'évier, elle chasse la fumée d'un geste de la main, éteint son mégot, le jette à la poubelle, attrape un plateau de *smørrebrød* aux crevettes et se prépare à retourner en salle.

— Sirrí, je te présente Hekla, notre nouvelle serveuse, elle travaillera avec toi.

Je lui tends la main, elle me répond d'un hochement de tête sans reposer son plateau.

Je me livre à un exercice de calcul mental. Si je travaille neuf heures et que je dors sept heures, il m'en restera chaque jour huit pour lire et écrire. Si j'ai envie d'écrire la nuit, personne ne m'en empêchera. Personne non plus ne m'y encouragera. Personne n'attend le roman de Hekla Gottskálksdóttir.

Le vendeur de la librairie Snæbjörn m'autorise à afficher une petite annonce dans sa vitrine.

Jeune fille célibataire ayant un emploi fixe cherche chambre à louer. Paiement du loyer garanti et régulier.

I have a dream

On distingue à peine le divan sous les coupures de journaux.

Je les parcours rapidement du regard. Il y en a en anglais et en islandais, toutes à propos de Martin Luther King, un pasteur noir américain.

— Il se bat pour les droits des Noirs, explique Jón John. Je garde tous les articles qui parlent de lui. Les Noirs ne sont pas libres, tout comme nous. Mais ils ont maintenant une voix qui plaide leur cause.

Il se baisse, lisse les coupures froissées, les remet en place et en lit quelques-unes en silence. Il remue les lèvres.

— Je rêve d'un monde où chacun aurait sa place, dit-il.

Les articles en islandais me semblent moins longs que les autres, ils se réduisent à quelques lignes. Jón John confirme.

— King a fait un discours sur les droits de l'Homme le mois dernier à Washington et aucun journal islandais n'en a rendu compte.

Il enchaîne avec quelques entrefilets :

— *Le Populaire* du 29 août 1963 mentionne la Marche sur Washington et signale que le leader noir a fait un discours, mais n'en donne pas d'extrait. Le *Morgunbladid* réduit la Marche à peu de chose, il ne dit pas un mot de Martin Luther King ni de son discours, mais il dit que quelques artistes célèbres sont venus à la manifestation pour tenir la vedette. Et que les participants étaient moins nombreux que prévu. Pourtant, leur nombre dépassait celui de la population islandaise, Hekla.

Il soupire profondément.

Mais puisque la presse islandaise ne s'intéresse pas à Martin Luther King, son ami à la base militaire lui a fourni des journaux américains que sa sœur lui a envoyés de chez eux.

Il cherche une coupure précise, la trouve et me la traduit :

Je rêve... qu'un jour, mes quatre enfants vivront dans

une nation qui ne les jugera pas à la couleur de leur peau, mais à leur seule valeur... Je rêve...

Il a les larmes aux yeux.

— King affirme que le problème des Noirs est aussi le problème des Blancs.

Il repose l'article et me regarde droit dans les yeux.

— Le problème des homosexuels est aussi le problème des hétérosexuels, Hekla.

Il replie les coupures qu'il range dans une boîte à chocolats de la confiserie Nói, ouvre son armoire et remet la boîte à côté de la machine à coudre en secouant la tête.

— J'ai essayé sans succès de travailler à la base militaire, mais ils ne veulent ni Noirs ni homosexuels. Je suis pourtant à moitié soldat par mon père. Les homosexuels sont exclus de l'armée et jetés en prison s'ils sont découverts. On les traite comme les violeurs d'enfants et les communistes.

Il s'assied sur le lit, à côté de moi.

— Les autorités islandaises ont passé un accord stipulant qu'aucun Noir ne serait affecté à Keflavík. L'armée américaine en a envoyé un par erreur, il a été autorisé à rester à condition qu'il ne sorte pas de la base. Cet été, avec le jour perpétuel, il a perdu le sommeil.

Après un silence, il ajoute :

— Du sang comme le mien coule dans les veines de tant de gens, Hekla. Aussi bien dans celles de défunts que d'enfants à naître.

Puis il me demande comment se sont passés mes

entretiens d'embauche. Je lui réponds que j'ai été engagée comme serveuse à l'hôtel Borg.

— Je dois porter une jupe et pas un pantalon.

Il sourit.

J'ajoute que son homonyme, Johnson, le vice-président des États-Unis, arrive en Islande la semaine prochaine.

— C'est peut-être un lointain parent ? dis-je. LB Johnson et DJ Johnson ?

— Je m'appelle Johnsson avec deux *s*. Je suis le fils de John.

L'Académie de la Beauté

Le plateau s'alourdit considérablement sous le poids de la cafetière, du sucrier et du pot à crème en argent.

Le chef de rang ne me quitte pas des yeux pendant ma première journée de travail, tout comme Sirrí.

— Ça, c'est mon périmètre, et voici le tien, m'explique ma collègue. Tu t'occupes de ces tables et moi de celles-là.

Elle me surveille attentivement et m'attend dans la cuisine quand je reviens après mon premier voyage avec le plateau. Elle tient à me prévenir que certains clients peuvent devenir pénibles quand ils ont bu.

— Les pires, ce sont les vieux, dit-elle.

S'ils essaient de te tripoter, reviens tout de suite en cuisine et on échangera nos tables. Ils t'attrapent quand tu passes à côté d'eux. Ils te mettent la main aux fesses ou la glissent sous ta jupe. Ils essaient aussi de te toucher les seins quand tu les sers. Et ils feraient n'importe quoi pour te forcer à te baisser. Leur technique la plus courante, c'est de faire tomber une cuiller à café. Un jour, pour me tirer d'embarras, le serveur a voulu ramasser la cuiller, mais le client a exigé que ce soit moi qui le fasse. Ils susurrent à ton oreille, ils te suivent, ils veulent savoir où tu vis. Ils harcèlent également les filles de cuisine quand elles ont fini leur journée. L'un de nos habitués en a poursuivi une jusque dans la chambre froide où elle était allée chercher de la mayonnaise, il l'a coincée dans le fond et a essayé de la tripoter comme un bélier en rut. S'ils te suivent en ville, tu n'as qu'à te réfugier dans le magasin qui vend des corsets en bas de la rue Skólavördustígur et ressortir par la porte de service. Ils n'oseront pas te suivre jusque-là. Elle mentionne d'autres refuges possibles comme la boutique de jouets-quincaillerie Liverpool. J'hésite à lui demander si les librairies servent également de cachettes pour jeunes filles en détresse, si on peut y passer la nuit, seule au milieu des livres, mais je m'abstiens.

— Les débutantes sont les plus exposées, ajoute-t-elle.

Si elles se plaignent, on leur répond : Il en a toujours été ainsi, il faudra bien que tu t'y fasses.

Une fille a perdu l'équilibre quand un type l'a pincée, son plateau lui a échappé des mains. Elle vivait seule avec un enfant à charge. Après l'avoir vertement réprimandée, on l'a affectée au nettoyage des chambres.

Il paraît que c'est encore pire car les femmes de ménage se retrouvent seules avec les clients qui se promènent nus sous leur peignoir ouvert tandis qu'elles passent l'aspirateur. Je ne sais pas ce qui est arrivé, mais un jour, elle est descendue du troisième étage complètement bouleversée, en larmes. On l'a emmenée dans un bureau.

Ma collègue rejette quelques ronds de fumée puis éteint sa cigarette.

— Ils lui ont dit qu'elle ne faisait pas l'affaire.

Je retourne en salle pour débarrasser. Un monsieur dont l'apparence m'est familière est assis à une table ronde avec d'autres hommes âgés, il m'observe.

Il a pris une soupe à la viande, il a soigneusement nettoyé les os, en a sucé la moelle et fait des petits tas sur le rebord de son assiette. Il m'apostrophe, perdu dans un nuage de fumée de cigare.

— Vous voilà donc serveuse à l'hôtel Borg.

Je lève les yeux, c'est l'homme de l'autocar, celui de l'Académie de la Beauté, qui m'a donné sa carte de visite.

— Vous aimez dresser une belle table ?

Il poursuit sans attendre ma réponse.

— Je vous pose cette question parce qu'une des épreuves du concours de Miss Islande consiste justement à dresser une table et à plier des serviettes.

Il ajoute que la compétition est en train d'évoluer, que le jury envisage de demander aux jeunes filles de s'essayer au rempotage de plantes.

— Vous vous intéressez aux plantes d'intérieur ?

— Non.

— Et aux travaux d'aiguille ?

— Pas davantage.

— Et la lecture de bons livres ?

— Je n'en lis que de mauvais.

Il me toise, hésitant, puis se met à rire.

— À la bonne heure, je vois que mademoiselle a le sens de l'humour.

Il se penche vers son voisin à qui il murmure quelques mots comme pour le mettre dans la confidence. Lequel me regarde en hochant la tête.

Puis l'homme de l'autocar se tourne à nouveau vers moi et me demande si j'ai réfléchi.

— À quel sujet ?

— À l'idée de briguer le titre de Miss Islande ?

— Non, je vous remercie.

Il insiste.

— Vous voyagerez à l'étranger, en limousine avec chauffeur.

Je me dépêche de débarrasser la table.

— ... Miss Islande reçoit une couronne et un sceptre, ainsi qu'un costume traditionnel avec une ceinture dorée pour participer à la compétition internationale de Long Island. Deux robes de soirée et un manteau à col de fourrure. Elle monte sur scène, fait la tournée des night-clubs, rencontre des boxeurs célèbres et sa photo est publiée dans les journaux.

Je me dépêche de repartir en cuisine.

— Vous devriez remonter un peu votre jupe, c'est un péché de cacher de si jolis genoux. Il faut savoir mettre ses atouts en valeur, crie-t-il dans mon dos.

Sirrí m'attend dans la cuisine derrière la porte battante et m'indique d'un mouvement de tête un des hommes assis à la table ronde en me conseillant de me méfier de lui.

— Il en a importuné plus d'une.

Quand j'ai rangé mon tablier et pointé, elle me rejoint en courant. Elle connaît quelqu'un qui a participé au concours de Miss Islande il y a quelques années, à l'époque où c'était encore organisé en plein air, sur une scène installée dans le quartier de Vatnsmýri. Elle travaille maintenant au central des taxis Hreyfill. Si je le souhaite, elle peut me la présenter.

— Elle aussi, on lui a promis un manteau de fourrure et des voyages à l'étranger. Elle attend encore.

— Je n'ai pas l'intention de participer.

Elle ajuste son foulard sur ses cheveux, allume une cigarette et rejette un filet de fumée du coin des lèvres.

— Je voulais juste que tu sois au courant.

Les astres errants de l'océan

Jón John a renoncé à trouver un emploi à terre.

— C'est inutile, je n'ai plus qu'à repartir en mer. Même si je dois en mourir. Même si je sombre avec ce maudit rafiot, ce fichu tas de ferraille. Je ne suis pas *le fils d'une falaise et d'une vague*, je ne m'appelle pas Einar Ben.

Allongé sur le divan, il dit qu'il pense aller dans les

fjords de l'Ouest. Il pourra s'engager sur la *Freyja*, un chalutier à moteur de Tálknafjördur, ou faire un remplacement sur le *Trausti* qui part d'Ísafjördur pour pêcher le hareng. Qu'est-ce qui lui inspire le plus confiance : un bateau qui porte un nom de femme ou un nom d'homme ? Il pourrait aussi aller dans les fjords de l'Est, à Neskaupstadur, et se faire embaucher dans une conserverie pour la saison de pêche. De toute manière, les salaires sont bas partout et les patrons vous roulent à tous les coups.

— J'en ai pour un an avant de réunir de quoi partir à l'étranger, conclut-il.

Il se lève, s'approche de la lucarne et reste là à regarder la nuit.

— Au pire, je peux toujours retourner vider les filets à bord du *Saturnus*. Je pourrais aussi choisir une autre planète parmi les astres errants de l'océan, Pluton, Neptune ou Uranus ?

Je pose la main sur son épaule.

— Et puis peu importe la planète et les ivrognes avec lesquels je partagerai un tombeau dans la mer.

— Mais le risque quand on vide les filets, c'est de finir enseveli sous des tonnes de poisson, non ? dis-je.

Il va et vient dans la chambre.

— À moins que je ne m'engage pendant trois mois pour pêcher le cabillaud au large du Groenland. Si le capitaine n'est pas trop imbibé, j'aurai peut-être une chance d'échapper aux icebergs et aux ours blancs.

Le soir même, il se décide pour les fjords de l'Ouest. Mais le lendemain matin, il se ravise et s'engage à bord du chalutier *Saturnus*, en espérant qu'il pourra remplacer le cuisinier, qu'on le laissera tranquille et qu'il survivra à la traversée.

— On lève l'ancre ce soir, m'annonce-t-il quand je rentre du travail.

Son sac de marin l'attend à la porte de la chambre.

— On déchargera directement les prises à Hull.

Il piétine au milieu de la pièce. Je comprends qu'il a quelque chose à me dire.

— Hekla, j'ai un service à te demander.

Il regarde le parquet usé, les yeux dans le vague comme s'il était en haute mer prêt à mettre la main en visière pour scruter l'horizon et pas dans une petite chambre mansardée de la rue Stýrimannastígur.

— Je voudrais que tu m'accompagnes jusqu'au quai, poursuit-il.

Il hésite.

— Je leur ai dit que les vêtements que j'ai achetés étaient pour ma fiancée, mais ils ne m'ont pas cru, ils veulent voir la fiancée.

Je ne me suis jamais noyé

Des lambeaux blancs tombent du ciel, le vent forcit, je boutonne mon manteau en daim et j'enfile mes gants. Mon marin, lui, est tête nue, il porte un chandail en laine islandaise. C'est la nuit, les docks sont fermés, entre les planches de bois glissantes du ponton on aperçoit la mer où flottent des taches de pétrole.

Le chalutier rouillé est amarré au bout de la jetée.

Les membres de l'équipage arrivent un à un, titubants, les mains dans les poches, cigarette aux lèvres. Certains viennent juste de quitter les tavernes, costume froissé et chaussures du dimanche. Je ne peux m'empêcher de remarquer les deux marins qui remontent la passerelle, ils portent une cravate et des souliers vernis, le premier tient le deuxième par le bras, ou disons plutôt qu'il le traîne derrière lui, tandis que l'autre, une bouteille à la main, boit de temps en temps une gorgée au goulot. Quand il m'aperçoit avec Jón John, il agite la bouteille dans notre direction mais il trébuche et glisse sur la passerelle.

— Eh ben, v'là la pédale avec une demoiselle au bras, maugrée-t-il.

Dès qu'il a retrouvé l'équilibre, au prix d'efforts considérables, comme un poulain aux pattes flageolantes qui essaie de se lever pour la première fois, il passe un coup de peigne dans ses cheveux luisants de brillantine et parvient après plusieurs tentatives à attraper une cigarette dans la poche de sa veste et à l'allumer.

— Tu ne veux pas inviter la demoiselle à monter dans la cabine ? bégaie l'autre d'une voix alcoolisée.

— C'est Konni la connerie et Steini le goulot, précise Jón John. Ils arrivent tout droit de la taverne Rödull.

Il sourit d'un air triste.

— Ils ont des sobriquets comme les poètes, ajoute-t-il.

Je lui prends la main, il me regarde, reconnaissant, et la serre fort dans la sienne comme un homme qui se noie s'agrippe à une bouée de sauvetage.

— Je t'achèterai des livres à Hull, promet-il.

Je l'accompagne jusqu'à la passerelle, je le prends dans mes bras et le serre fort contre moi, j'entends le clapotis des vagues sous nos pieds.

— Tu n'as pas le droit de te noyer, dis-je.

— Ce n'est pas le pire. On s'engourdit vite dans l'eau froide.

Je le serre plus fort encore.

— Mais je ne me noierai pas, par égard pour ma mère.

Un goéland décrit un cercle au-dessus de nos têtes, il s'immobilise un instant à notre verticale et tend les pattes comme pour se poser, puis en deux battements d'ailes, il disparaît dans le nuage de grêle qui s'abat sur le *Saturnus*.

Médée

Je tends à Ísey la boîte en carton blanc qui contient quatre *smørrebrød*. Avec le vent qu'il fait, j'ai eu toutes les peines du monde à la garder intacte sur le long trajet entre l'hôtel et le quartier de Nordurmýri. Elle a déplacé le lit à barreaux de la chambre au salon.

— Comme ça, je peux surveiller Thorgerdur pendant la journée. La nuit, elle dort avec moi.

Elle repose la petite dans le lit, soulève le couvercle

de la boîte en carton et sourit jusqu'aux oreilles. Les tartines ont glissé pendant le transport, les liserés de mayonnaise se sont mélangés aux crevettes. Elle les met au frigo puis s'installe avec moi à la table de la cuisine d'où elle peut surveiller sa fille par la porte du salon.

— Tu te rappelles ? Je t'ai dit que je tenais un journal. Même si ce n'est pas tout à fait ça.

— Oui, je m'en souviens.

— Hier, j'ai fait tout le trajet jusqu'au centre-ville avec le landau et j'ai acheté un nouveau carnet. En bravant la tempête. Le vendeur de la papeterie Gudgeir s'est souvenu de moi, il m'a conseillé les cahiers d'écolier, à lignes ou à carreaux, puisque je les remplis si vite. Et ça me coûtera moins cher. C'est le seul luxe que je m'autorise.

Elle garde le silence quelques instants en préparant le café.

— Je me suis mise à écrire des dialogues, reprend-elle.

— Quel genre de dialogues ? Des choses que les gens disent ?

— À la fois ce qu'ils disent et ce qu'ils ne disent pas. Je ne peux pas expliquer à Lýdur que chaque fois qu'il ouvre la bouche, j'ai envie de noter ce qu'il dit. Et encore moins que j'écris aussi ce qu'il ne dit pas. Il ne comprendrait pas non plus que, parfois, j'ai envie de m'interrompre dans ce que je fais pour l'écrire au lieu de le vivre.

Elle baisse les yeux et fixe ses paumes.

— L'autre jour, nous étions invités à dîner chez mes

beaux-parents, rue Efstasund, mes belles-sœurs étaient là aussi. Ils arrivent à capter la télévision de la base américaine, ce qui est rare. Ma belle-sœur Dröfn a dit une chose sur son mari qui m'a frappée, je leur ai aussitôt demandé de m'excuser et je me suis réfugiée dans une autre pièce pour noter quelques phrases.

Elle secoue la tête.

— Tu te rends compte, Hekla, maintenant je me balade avec un bloc-notes et un crayon dans mon sac à main.

Elle remplit ma tasse puis réajuste la barrette qui retient ses cheveux.

— De retour à la maison, une fois Lýdur endormi, j'ai repris mes dialogues. En un rien de temps, j'avais noirci dix-huit pages à propos d'une femme qui découvre que son mari la trompe et qui se venge en tuant leur enfant. Lýdur ne comprendrait pas ça.

Elle va chercher sa fille dans son lit et la cale sur sa hanche.

— Raconte-moi ce qui se passe là-bas, Hekla, parlemoi des clients de l'hôtel Borg, raconte-moi la vie au-delà du petit monde de la rue Kjartansgata.

Dois-je lui parler de tous ces hommes qui ne me laissent jamais tranquille, me dévorent des yeux et cherchent en permanence à me tripoter sans ma permission ? Ces hommes qui m'invitent à sortir avec eux. Ces hommes qui ont du pouvoir. Je les éconduis toujours poliment et ça ne leur plaît pas. Ils ont l'habitude d'obtenir ce qu'ils veulent. Et les filles qui résistent, ils s'arrangent pour les faire renvoyer. Je préfère dire à mon amie qui écrit des dialogues la nuit que j'ai pris une carte à la bibliothèque municipale de la rue Thingholtsstræti et que je peux lui rapporter des livres.

Nous retournons au salon. Ísey me tend sa fille, emporte les tasses et les pose sur la table basse.

Je constate qu'un nouveau tableau de Kjarval a rejoint la collection, ce qui en fait trois. Pour leur faire de la place sur les murs, il a fallu déplacer le buffet et en accrocher deux l'un au-dessus de l'autre, l'un des cadres touche le plafond. Ísey dit qu'ils ont maintenant des paysages de trois régions différentes dans leur minuscule salon.

Elle se laisse tomber dans le canapé et prend un air grave.

— J'ai rêvé, dit-elle, que nous avions emménagé dans une maison neuve dont tout le mobilier était en palissandre. Un immense escalier menait à l'étage, des marches et des marches, je tenais Thorgerdur dans mes bras. Il y avait quatre chambres d'enfant dans la maison. Maintenant j'ai peur de me retrouver avec quatre enfants sur les bras.

Odin
(Le jour où j'ai recueilli le dieu de la poésie et de la sagesse)

Au crépuscule, tout en bas de la rue Ódinsgata, j'entends des miaulements près d'une maison en tôle ondulée verte. Ils proviennent du seul arbre de la rue.

En levant les yeux, j'aperçois un chat maigrelet, juché sur une branche. Je cherche un appui sur le tronc au niveau de la fourche, je grimpe, je réussis à attraper l'animal apeuré et je le pose sur le trottoir. Il n'est pas tout à fait adulte. Il est noir, il a une tache blanche au-dessus d'un œil et ne porte pas de collier. Je lui fais quelques caresses, mais je dois rentrer chez moi pour terminer un chapitre. Quand j'atteins la rue Austurstræti, le chat est toujours derrière moi, il me suit sur tout le trajet jusqu'à la rue Stýrimannastígur. J'ouvre la porte de la maison, il se faufile aussitôt entre mes jambes et gravit l'escalier en bois. Il m'attend sur le petit palier et miaule. Je le laisse entrer.

Je lui verse du lait dans une écuelle.

Me voici propriétaire d'un chat.

Je le caresse.

Me voilà propriété du chat.

Le lendemain matin, j'aperçois un corbeau qui croasse, perché sur le réverbère à côté de la lucarne. Les gamins lui jettent des cailloux et, lorsqu'il prend son envol, je remarque qu'il a une aile abîmée.

La joie d'être vivante et de savoir que je rentre chez moi pour écrire

À cinq heures, je pointe et je quitte l'hôtel Borg.

Tous les jours, je passe devant la librairie Snæbjörn et la librairie Bragi Brynjólfsson, rue Hafnarstræti, j'entre pour regarder ce qu'ils ont en rayon. Je sais déjà quels livres j'achèterai quand je toucherai ma paye. Rue Hafnarstræti, il y a aussi la librairie Nordri qui propose d'acheter en souscription l'encyclopédie *Nordisk Konversations Leksikon*, huit volumes, reliure cuir et lettres dorées. Rue Austurstræti, il y a la librairie Ísafold, et rue Bankastræti, la librairie Kron. Sur Laugavegur, il y en a trois : Mál og Menning, Bókhladan et Helgafell. Enfin, il y a la librairie Lárus Blöndal, rue Skólavördustígur. C'est mon parcours de chaque jour.

J'ai également fait l'aller-retour jusqu'au nouveau parc de Klambratún pour voir les arbres qu'on vient d'y planter.

Je suis payée le vendredi. Je passe alors à l'agence de la Landsbanki, rue Austurstræti, et j'y dépose mon salaire. Les murs de la banque sont ornés de fresques de l'artiste que le beau-père d'Ísey ne peut pas voir en peinture. Elles représentent des femmes en train de faire sécher la morue.

Mon salaire est plus bas que ce que je pensais. Sirrí m'explique que les serveuses sont payées deux fois moins que les serveurs.

— Bien que la salle soit divisée en parts égales et que nous nous occupions du même nombre de tables. Ça a toujours été comme ça et, apparemment, ça ne changera pas. Je tenais à te le dire, ajoute-t-elle.

Je m'offre parfois un café au Hressingarskálinn et quand je ramène des *smørrebrød* à Ísey, ils sont déduits de mon salaire. J'ai marché deux fois jusqu'à l'îlot de Grótta, jusqu'au phare, et je suis restée là, les pieds dans les algues glissantes, à écouter les mugissements du ressac jusqu'à la marée haute. Le vent soulève des gerbes d'écume haut dans le ciel. De l'autre côté du golfe de Faxaflói, au-delà du glacier où se trouve l'accès direct au centre de la Terre, mon père rédige ses descriptions météorologiques. Plus loin encore sur l'océan blanc d'écume, Jón John vogue vers le port de Hull, le mal de mer au ventre, sur un navire aux cales chargées de poisson.

Pendant mon service à l'hôtel Borg, je poursuis mon texte, je le maintiens en vie. Je sers du café, mais mon esprit est ailleurs, je pense à ce que j'écrirai le soir quand j'aurai fini ma journée.

— Mademoiselle, dit une cliente, le sucrier est vide.

Parfois, je griffonne quelques mots sur une serviette en papier que je glisse dans ma poche en allant chercher une commande en cuisine.

— Tu notes un numéro de téléphone ? me demande Sirrí.

L'homme de l'Académie de la Beauté vient tous les midis déjeuner au buffet, parfois il passe aussi en début de soirée, il prend un café et une part de gâteau à la crème. Sirrí m'a proposé d'échanger nos secteurs pour que je n'aie plus à m'occuper de lui. Ce qui ne l'empêche pas de me faire signe depuis l'autre bout de la salle.

— Un deuxième café, s'il vous plaît, mademoiselle.

Quand je me penche en avant pour poser le café sur la nappe immaculée, il me dit :

— Je serai votre guide personnel à Long Island.

Vous ne comptez tout de même pas être serveuse toute votre vie ?

Un jour, alors que j'accroche mon tablier à la patère, le chef de rang vient me voir en me tendant une grande boîte en carton blanc.

— Avec les compliments de la table ronde, précise-t-il en souriant.

En soulevant le couvercle, je découvre une femme en robe de soirée faite de pâte d'amande rose posée sur un gros gâteau. Elle a une cerise confite sur chaque sein, et porte en glaçage de chocolat sur son écharpe : *Miss Volcan*.

Sirrí regarde furtivement la pâtisserie.

— Je voulais juste te signaler, Hekla, que tu te permets des choses qui vaudraient aux autres filles d'être renvoyées. Par exemple de dire au voisin de table du directeur des Égouts que ça commence à bien faire puis, comme il insiste, de verser du café sur sa manche de veste. Et de lui dire ensuite avec un grand sourire : Je prie monsieur de m'excuser.

Et voilà qu'on te récompense avec un gâteau en pâte d'amande.

On se fie aux poètes pour prendre soin des livres

Quand je n'écris pas, je vais à la bibliothèque municipale, rue Thingholtsstræti. L'abonnement est de cinq couronnes par an et on peut emprunter trois livres à la fois. Le bâtiment est entouré d'arbres, les hauts plafonds tout en imposantes moulures, et le sol tapissé d'une épaisse moquette moelleuse. Parfois, j'y cours pendant ma pause, j'ai pile le temps de lire un recueil de poèmes. Le conservateur est un vieil écrivain qui a composé une belle ode au désert.

Il y a aussi un jeune bibliothécaire que j'ai quelquefois aperçu au Hressingarskálinn en compagnie des poètes. Je l'ai surpris qui m'épiait tandis que je feuilletais un livre debout devant le rayonnage.

Quand je pose *La Montagne magique* de Thomas Mann sur son comptoir, il me sourit et dit : La vie, l'amour, la mort.

Il porte une chemise blanche, une cravate, et un gilet en laine.

J'ajoute deux recueils de poésie que j'ai pris pour Ísey.

— Nos lecteurs ont parfois du mal à rapporter les livres de poésie, dit-il. C'est ce qu'ils aiment le plus. Il nous est même arrivé de devoir aller les récupérer chez eux.

Puis il se lève et me propose une visite des lieux. L'établissement possède dans son fonds les *Cahiers de la société islandaise de littérature* ainsi que tous les numéros de la revue littéraire *Skírnir* depuis 1827, année de sa première parution, mais le trésor de la bibliothèque, me précise-t-il, est un exemplaire très bien conservé et élégamment relié de la revue *Fjölnir*.

Il me guide entre les rayonnages. On y trouve une importante collection de récits de voyages d'étrangers venus en Islande, comme celui du botaniste Hooker qui a parcouru le pays avec Jörundur, le roi de la Canicule, ou celui de Lord Dillon, et le voyage de John Barrow, qui date de 1834.

— Je n'ai pas pu m'empêcher de remarquer la manière dont tu abordes les livres, poursuit-il. Tu en choisis un, tu lis le début, tu le feuillettes, tu lis à nouveau quelques lignes. Puis tu passes les pages à toute vitesse jusqu'à la dernière et là, tu lis la fin. Après tu le reposes à sa place sur l'étagère, tu prends le suivant, et tu recommences. Il est très rare que nos lecteurs suivent l'ordre des livres sur les rayonnages.

La porte battante

Le lendemain, le bibliothécaire est assis dans un coin de la salle de l'hôtel Borg.

Seul, un livre à la main, il m'observe en fumant sa pipe. Il en est à son quatrième café et m'adresse un sourire chaque fois que je lui apporte une nouvelle tasse. Il lit l'*Odyssée* dans la traduction de Sveinbjörn Egilsson. Il a posé un calepin à couverture noire et un stylo-plume sur sa table. Il ouvre plusieurs fois son carnet, ôte le capuchon de son stylo et prend quelques notes.

Je regarde droit dans les yeux ce propriétaire d'un Montblanc.

— Starkadur, annonce-t-il sans préambule en me tendant la main.

Je ne peux pas m'empêcher de lui demander :

— Tu écris ?

Il hoche la tête. Il me dit qu'il travaille à mi-temps à la bibliothèque, mais que, par ailleurs, il écrit de la poésie. En ce moment, il travaille sur une nouvelle. Il me laisse entendre qu'un de ses poèmes a été publié dans la revue *Eimreid*.

Le chef de rang rapplique, me saisit par l'épaule et m'éloigne de la table.

— Le sucrier des dames à côté de la fenêtre est vide, mademoiselle Hekla.

Quand je reviens en cuisine, il m'attend.

— Les serveuses ne sont pas censées se lier avec les clients. Je vois parfaitement ce qui se trame.

— Et alors, qu'est-ce qui se trame ?

— Un rapprochement. On sait où ça mène. Les filles tombent enceintes et démissionnent.

— C'est un poète, dis-je.

— Les poètes aussi mettent les femmes enceintes.

Il maintient la porte battante ouverte sur la salle et me désigne d'un signe de tête un homme seul assis près de la fenêtre.

— Au lieu de tourner autour d'un poète sans le sou, tu pourrais te trouver un meilleur parti. Il y a tant de jeunes célibataires qui n'attendent qu'une femme pour illuminer leur vie. Tu vois l'homme assis là-bas, près de la vitre, c'est un jeune ingénieur célibataire, il a un appartement rue Sóleyjargata et une Ford d'occasion.

Le bibliothécaire reste rivé à sa table jusqu'à la fin de mon service. Il se lève alors d'un bond et me demande s'il peut m'accompagner. Nous traversons la place Lækjartorg où le vent glacial qui souffle de la mer nous transperce, puis nous déambulons le long de l'étang de Tjörnin en direction de la rue Skothúsvegur. En chemin, il me dit que la bibliothèque abrite les ouvrages de 706 auteurs islandais et un total de 71 719 volumes.

Il me demande de deviner quel genre de livres remporte le plus de succès auprès des lecteurs.

— Les recueils de poésie ? dis-je.

Il rit.

— Les romans.

Il m'explique que les femmes lisent des romans et comme elles sont en majorité, ce sont les ouvrages les plus empruntés. Les hommes préfèrent les livres d'histoire ou qui parlent de l'Islande. La catégorie qui vient en troisième position est celle des documents traitant de pays lointains.

— Hommes ou femmes, tout le monde a envie de savoir comment les choses se passent à l'étranger, conclut-il.

Je l'interroge sur les romans les plus empruntés.

Il réfléchit un bon moment.

— Probablement les livres pour enfants de Ragnheidur Jónsdóttir et les romans ruraux de Gudrún frá Lundi, répond-il avec réticence.

— Des livres écrits par des femmes.

Il hésite.

— C'est vrai, maintenant que tu le dis. Et c'est assez surprenant quand on pense au petit nombre de femmes qui écrivent en Islande et au fait qu'aucune n'a de talent.

Il semble que nous ayons fait le tour de la question. Quand nous atteignons la rue Tjarnargata, le bibliothécaire s'arrête devant une maison recouverte de tôle ondulée pour me dire que c'est le quartier général des socialistes islandais et qu'il assiste souvent à leurs réunions. *Mouvement des jeunesses socialistes. Rassemblement contre le capital*, précise un écriteau à la fenêtre.

Nous débouchons sur le cimetière de la rue Sudurgata. La grille grince. La terre est un marécage en putréfaction, la mort est là, à chaque pas. La nature est comme une tombe ouverte.

— Ici reposent les poètes, même les immortels, déclare mon guide.

— Oui, dis-je, tous les morts se ressemblent.

Il me regarde, s'apprête à me répondre puis se ravise et se contente de valser entre les pierres tombales à la recherche de diverses sépultures. Il a beau connaître des hémistiches et des vers de Benedikt Gröndal et de Steingrímur Thorsteinsson sur le bout des doigts, il n'arrive pas à trouver leur ultime demeure. Les poètes refusent de se manifester.

— Ils sont pourtant enterrés ici, dit-il, peinant à dissimuler sa déception. Ils étaient là quand je suis venu l'autre jour avec Dadi Draumfjörd, le Fjord des rêves.

J'ai froid, le soir sombre de l'automne monte de la terre. L'herbe jaunie et humide m'enveloppe les chevilles. Je pense à ma mère.

— La poétesse Theodóra Thoroddsen est enterrée ici, n'est-ce pas ? dis-je.

Le bibliothécaire est songeur, il n'en est pas sûr, ce qui est certain, en revanche, c'est qu'elle repose comme il se doit aux côtés de Skúli, son époux. Il se faufile entre les tombes, scrute les épitaphes et exulte quand il trouve Thorsteinn Erlingsson. Il m'appelle, s'enflamme et déclame *Le Bruant des neiges.*

La voix qui charmait mes oreilles depuis le buisson
était si belle, si douce et si limpide...
soir après soir, elle entonnait son poème d'amour...

Au milieu du cimetière, la longue épitaphe sur la tombe d'une femme décédée en 1838 pique ma curiosité : ... *mère de cinq enfants morts en bas âge, forte comme deux colosses, secours des pauvres, femme exemplaire, loyale, bienveillante...*

— C'est la gardienne du cimetière, la première personne à avoir été enterrée ici, précise mon guide en se postant à mes côtés.

Il me regarde, j'ai l'impression qu'il a quelque chose sur le cœur.

— En fait, je pensais t'inviter au cinéma ce soir, dit-il. Mais il fallait que je rassemble mon courage.

On passe un film de Fellini à l'Austurbæjarbíó,

Cléopâtre au Nouveau Cinéma, *La Ciociara* avec Sophia Loren au Vieux Cinéma, et *Lawrence d'Arabie* au Tónabíó, énumère-t-il.

— J'aimerais bien voir *Ne tirez pas sur l'oiseau moqueur*, il y a une séance au Stjörnubíó à neuf heures, dis-je.

J'ai vu le roman dans la vitrine de la librairie Snæbjörn, rue Hafnarstræti.

— C'est un roman écrit par une femme, Harper Lee.

Ma remarque le surprend.

Il me dévisage.

— Tu es la serveuse la plus lettrée que je connaisse.

C'est la vérité. Mais pas forcément la réalité

Nous nous retrouvons devant le cinéma à neuf heures moins le quart. Il me fait signe en agitant les billets. Nous nous enfonçons dans des fauteuils moelleux en cuir bordeaux aux accoudoirs capitonnés avec des clous argentés. Nous avons pris place au centre de la salle, le faisceau de fumée bleutée du projecteur tremblote au-dessus de nos têtes. J'essaie de me concentrer sur la langue tout en lisant les sous-titres, mais c'est difficile. Et les travaux agricoles dans le Sud des États-Unis n'ont pas grand-chose à voir avec ceux des Dalir. Au milieu du film, le poète me passe un bras autour des épaules.

— Je ne pensais pas qu'une femme choisirait ce

genre de film, dit-il en sortant.

Quand je lui dis : Les Noirs ne sont toujours pas libres, pas plus que les homosexuels, il me regarde longuement comme s'il cherchait quoi répondre. J'ai du mal à imaginer ce qui se passe dans sa tête.

Il a de belles mains et je suis prête à coucher avec lui s'il me le demande.

Nous voici arrivés rue Skólavördustígur où il loue une chambre. Nous croisons quelques couples un peu éméchés, mais aucune voiture ne circule.

— J'habite à deux pas du café Mokka, fait-il avec un sourire.

J'ai le cœur qui bat.

Il me dit qu'il loge sous les combles et que la surface située sous la lucarne n'est pas comptée dans le loyer.

Je dois prendre une décision : rentrer chez moi pour écrire ou coucher avec le poète.

Il y a des situations qu'on ne peut affronter qu'en se déshabillant.

Je ne porte pas de dessous chics, mais il s'en fiche, tout ce qu'il veut, c'est que je les ôte le plus vite possible.

Après ça, il met du Chostakovitch sur l'électrophone tandis que je jette un coup d'œil à la chambre où un homme adulte peut à peine tenir debout sauf au milieu, à l'aplomb du faîtage.

Je me demande à quel moment je suis censée partir et combien de temps je suis censée rester.

Il me confie qu'il est originaire de Hveragerdi, c'est là qu'habite sa mère, et que son père était matelot sur le paquebot *Dettifoss* quand il a été coulé par une torpille allemande pendant la guerre.

— À sa mort j'avais quatre ans et mes sœurs deux et six ans.

De mon côté, je lui dis que j'habite provisoirement chez un ami parti en mer.

— Il est comme un frère, dis-je.

J'aurais envie d'ajouter : C'est mon meilleur ami ; mais j'en reste là.

Une bibliothèque vitrée est installée à côté du lit, je ne peux pas m'empêcher de lire les titres qui occupent les trois étagères. On dirait celle de mon père. Il y a la *Saga de Njáll*, la *Saga de Grettir*, la *Saga des Sturlungar*, la *Heimskringla* et l'*Edda* de Snorri Sturluson et les *Insomnies* de Stephan G. Une étagère est consacrée à nos grands poètes nationaux, il y a là Jónas Hallgrímsson, Steingrímur Thorsteinsson et Hannes Hafstein. Il y a aussi des romans de Laxness, Gunnar Gunnarsson et Thórbergur Thórdarson, la traduction de Jón á Bægisá du *Paradis perdu* de Milton et deux autres livres traduits, *La Faim* de Hamsun et l'*Odyssée*. Tous sont en reliure cuir.

— Il te manque la *Saga des Gens du Val-au-Saumon*, dis-je.

Le poète se redresse sur ses coudes.

— C'est vrai, convient-il après un instant de réflexion. Tu viens des Dalir.

Il tend le bras vers moi.

Je pourrais rentrer chez moi et écrire une heure avant d'aller au travail.

Ou pas.

À mon retour, le chat m'attend devant la porte d'entrée.

Je me baisse et lui donne quelques caresses.

Les restes d'un oiseau sont éparpillés sur le trottoir : le bec, une aile et deux plumes.

J'ai besoin d'être seule. Plurielle. Seule

Ísey est pensive, elle a l'air préoccupée.

— Ma vie est finie, Hekla.

— Qu'est-ce qui se passe ?

— Figure-toi qu'une poche de sang a éclaté quand nous préparions le boudin de mouton avec les sœurs de Lýdur. J'en ai été tout éclaboussée. Le plus étrange, c'est que j'ai fondu en larmes. Mes belles-sœurs m'ont regardée, mon Dieu, j'étais morte de honte. Hrönn m'a demandé si je ne serais pas enceinte.

— Et tu l'es ? Tu attends un deuxième bébé ?

Elle baisse les yeux.

— Tu dois penser que je me suis mise dans un drôle de pétrin. Tu ne trouves pas ça affreux ? Moi, ça me terrifie. Je suis tellement heureuse. Je n'ai aucun appétit. J'avais vraiment hâte de me régaler avec du boudin frais, mais je vomis tout ce que j'avale. Ce n'était pas prévu, mais c'est une bonne chose que Thorgerdur ait un camarade de jeu. Lýdur est heureux. Pour lui, un seul enfant ça ne fait pas une famille. De son point de vue, une famille, c'est au minimum trois enfants. Je ne lui ai pas dit que je me contenterais de deux.

Je me lève et je la prends dans mes bras.

Elle est maigre comme un clou, je sens ses côtes.

— Félicitations !

Je me dis : L'enfant s'épanouit dans le noir.

— J'étais sûre que tu le prendrais comme ça. Que tu penserais que je me suis mise dans un sacré pétrin. Tu n'imagines pas à quel point j'étais angoissée à l'idée de t'annoncer la nouvelle.

Je la serre fort contre moi.

— Ça va aller.

— Pour l'instant, ça ne se voit pas. Mais cet enfant va grandir et ensuite, il faudra le mettre au monde.

Thorgerdur pesait presque quatre kilos. Hekla, j'en mourrai. Je n'aurais jamais cru qu'accoucher était si douloureux. Il m'a fallu deux jours et deux nuits pour Thorgerdur et après, je n'ai pas pu m'asseoir pendant trois semaines tellement les médecins m'avaient recousue.

— Ne t'inquiète pas, tout ira bien.

Elle essuie ses larmes.

— Mon nom signifie Île de glace. Les eaux du Breidafjördur ont gelé le printemps où je suis née. Mon père voulait ajouter une île dans le fjord, c'est pour cette raison qu'il m'a baptisée Ísey.

Elle se tait quelques instants. Thorgerdur s'est levée dans son lit à barreaux, elle nous tend les bras, elle veut qu'on la prenne. Je l'attrape, il faut lui changer sa couche.

— Je me sentais tellement à l'étroit chez mes parents. La montagne touchait la clôture de la ferme, j'avais envie de partir. Je suis tombée amoureuse. Je suis tombée enceinte. L'été prochain, je serais seule avec deux enfants dans un appartement en sous-sol de Nordurmýri. Et je n'ai que vingt-deux ans.

Elle se laisse tomber dans le canapé puis se relève aussitôt pour aller faire du café. J'en profite pour changer la petite.

— Pardonne-moi, Hekla, je ne t'ai même pas demandé de tes nouvelles, dit-elle en revenant, la cafetière à la main. Alors, tu as rencontré quelqu'un ?

— En fait, oui.

Elle me regarde intensément.

— C'est qui ?

— Il travaille à la bibliothèque, rue Thingholtsstræti. Il est aussi poète.

— Comme toi donc ?

— Il ne sait pas que j'écris.

— Tu ne lui as pas dit que tu as été publiée ?

— C'était sous pseudonyme.

C'est Ísey elle-même qui m'avait conseillé de prendre un nom de plume comme le font les écrivains de sexe masculin. De préférence quelque chose de ronflant comme Hekla des Hautes-Cimes ! avait-elle suggéré.

— Non, avais-je répondu en pouffant.

Mais ça ne l'avait pas arrêtée.

— Il n'y aurait pas une vallée, un ruisseau, un endroit dont tu pourrais te réclamer ? Puisque tu ne veux pas des hauteurs, il va falloir chercher dans les profondeurs. Que dirais-tu d'Abysse… ?

— Non.

À présent elle peut bien me l'avouer :

— Je ne faisais que plaisanter.

Elle me dévisage.

— Tu n'as pas non plus dit à ce poète que tu écrivais un roman ?

— Non.

— Et que tu as déjà deux manuscrits prêts à être publiés ?

— Pour l'instant, l'éditeur ne m'a pas répondu.

— Qu'est-ce que vous faites quand vous êtes ensemble ?

— L'amour.

Je suis soulagée qu'elle ne m'ait pas demandé si je préfère écrire ou coucher avec lui, ce qui est le plus important à mes yeux, le lit ou la Remington.

C'est hélas sa question suivante.

— De quoi as-tu le plus envie ? D'avoir un petit ami ou d'écrire des livres ?

Je réfléchis. Dans le monde de mes rêves l'essentiel serait : du papier, un stylo-plume et le corps d'un homme. Quand nous avons fini de faire l'amour, je me dis qu'il pourrait aussi remplir le réservoir d'encre de mon stylo.

Elle fixe un point derrière moi et déclare d'un air grave :

— Les femmes doivent choisir, Hekla.

— J'ai envie des deux. J'ai besoin à la fois d'être

seule et accompagnée.

— Cela signifie que tu es à la fois écrivain et normale.

— Nous nous connaissons à peine. Je n'en suis pas encore à me marier.

Ísey hésite.

— Je sais bien que pour toi ma vie n'est pas intéressante, mais j'aime Lýdur. Je ne suis plus seule, Hekla. Je forme un *nous*. Je suis Lýdur et Thorgerdur.

Au moment de lui dire au revoir, je la serre dans mes bras.

— Si c'est une fille, je l'appellerai Katla, comme ça j'aurai deux volcans avec moi.

La pleine lune et son halo flottent au-dessus de l'île d'Örfirisey tandis que je me dirige vers la chambre du poète rue Skólavördustígur.

Pêle-mêle (deux)

J'ai terminé mon service et je m'apprête à rentrer chez moi pour écrire quand je remarque une jeune femme aux cheveux blonds relevés en chignon qui grelotte dans le froid de l'autre côté de la rue, les yeux fixés sur la porte-tambour de l'hôtel Borg.

Dès qu'elle m'aperçoit, elle vient vers moi et se présente comme une copine de Sirrí, qui lui a demandé de me mettre au parfum.

— Au parfum de quoi ?

— Miss Islande. Elle m'a dit qu'on te harcelait pour

que tu t'inscrives.

Je lui réponds que je n'ai pas l'intention d'y participer.

— Elle ne m'a pas dit que tu allais le faire, mais plutôt que tu avais l'air d'être ailleurs, elle a l'impression que tu ne resteras pas serveuse très longtemps. Elle perçoit chez toi une forme d'agitation, comme si tu voulais partir pour l'étranger.

La copine de Sirrí me propose de marcher un peu et d'aller prendre un verre au Hressingarskálinn.

— À moi aussi ils m'ont dit que je ferais de grands voyages, mais ils n'ont pas tenu parole. Je ne suis jamais allée à Long Island contrairement à ce qu'ils m'avaient promis.

En chemin, elle lance régulièrement des regards par-dessus son épaule comme si elle craignait d'être suivie.

Une fois au Hressingarskálinn, je commande un café. La jeune femme prend un beignet et un Sinalco, elle me dit qu'elle travaille au central des taxis Hreyfill et que les journées les plus chargées sont celles où les chalutiers rentrent au port. Les matelots dépensent beaucoup d'argent à se balader en taxi. Il y en a même un qui a demandé à un chauffeur de le conduire dans le Nord du pays, jusqu'à Blönduós.

— Il sifflait sa bouteille de gnôle sur la banquette arrière. Quand elle a été vide, il s'est endormi et a roupillé presque tout le trajet. Arrivé à Blönduós, il a voulu manger des côtelettes arrosées de graisse de mouton, mais comme c'était le Jeudi saint, tout était fermé. Le chauffeur est allé frapper à la porte du pasteur pour téléphoner à sa femme qui a ensuite appelé un cousin dont l'épouse a une sœur qui vit à Blönduós. Cette dernière lui a cuisiné des côtelettes panées puis le taxi l'a ramené à Reykjavík et à son bateau. Il a dormi pendant tout le trajet de retour.

Elle boit une gorgée au goulot de sa bouteille de Sinalco et me jauge du regard.

— Tu n'as pas l'air du genre à passer des heures devant ton miroir pour admirer la hauteur de tes pommettes, tranche-t-elle en croquant dans son beignet.

Puis elle en vient au concours lui-même. Il y avait douze participantes quand elle s'y est inscrite et le jury était composé de cinq hommes.

— Il a fallu le reporter trois fois à cause de la pluie et du vent.

Elle avale une autre gorgée.

— Nous étions en maillot de bain sur un podium en bois. Il y avait des flaques d'eau sur scène, une des filles a glissé et s'est foulé la cheville. Nous devions nous soutenir mutuellement. J'ai attrapé un coup de froid qui a tourné en cystite.

Je regarde par la vitre, la nuit tombe, les gens sont pressés de rentrer chez eux après leur journée de travail, un homme tient son chapeau à deux mains pour empêcher les bourrasques de l'emporter.

— Mon fiancé était quand même fier. Debout dans le public, il a applaudi pendant mon passage sur scène, retour compris. Le podium était assez loin, il m'a dit qu'il avait eu du mal à m'identifier parmi les autres filles, mais qu'il m'avait reconnue à mon maillot de bain vert.

Elle mord à nouveau dans son beignet et reprend le fil de son récit.

— Le hic, c'est que mon maillot était jaune.

Elle s'interrompt, rassemble dans le creux de sa paume les miettes tombées sur la table et les met dans son assiette.

— Il ne sait pas ce que j'ai subi, reprend-elle en chuchotant.

Après avoir fait place nette et s'être assurée qu'il n'y a plus aucune miette, elle sort de son sac un album-photo qu'elle pose sur la table.

— Voici l'histoire de ce concours en paroles et en images.

Elle vient s'asseoir à côté de moi et ouvre l'album avec précaution.

— C'est elle qui a gagné.

Elle lit à voix haute la légende sous la photo en suivant les lettres du bout de son index :

La grâce de Glódís Zoëga est l'exemple même de la féminité raffinée des Islandaises, nos filles et nos sœurs, dont la beauté est un don du ciel. Notre pays n'en attend pas moins de ses femmes.

— Quant à elle, c'était la lauréate de l'année précédente, reprend l'amie de Sirrí en tournant la page.

C'est mademoiselle Gréta Geirsdóttir qui remporte la compétition et reçoit le titre de Miss Islande. Elle est blonde, svelte, et extrêmement charmante. Gréta est la fille de Jódís et de Geir (décédé), originaire d'Ytri-Lækjarkot dans la région de Flói. Son élégance est parfaitement naturelle.

— Elle a rencontré le cosmonaute soviétique Gagarine à qui elle a offert un bouquet. D'après l'article, il n'était pas très grand et la reine de beauté le dépassait d'une tête.

Il l'a trouvée plus belle encore que Gina Lollobrigida, ajoute-t-elle, poursuivant sa lecture.

Elle me montre d'autres photos.

Celle-ci a été invitée au Ed Sullivan Show et celle-là a prononcé deux répliques dans un film sur les dernières années d'Hitler. Un des juges du concours à Long Island a déclaré que le patronyme de Miss Islande sonnait comme une cascade de cailloux dans un fjord islandais.

— Et elle ? dis-je en lui montrant une autre photo. Il me semble reconnaître dans le fond les tours de Tivoli à Copenhague.

— Celles qui arrivent dans les trois premières concourent pour le titre de Miss Pays nordiques.

Elle continue à feuilleter l'album.

— Me voilà, dit-elle en me montrant une jeune fille svelte. J'ai répondu à une interview.

La légende sous la photo précise : *Rannveig est célibataire.*

— C'est ce qu'ils m'avaient conseillé de dire. Ça n'a pas plu à mon fiancé.

Elle sort l'article de l'album et me le montre.

—Avez-vous un homme dans votre vie ?

—Non.

— *Avez-vous l'intention de vous marier ?*

— *Je l'espère bien.*

Elle pousse un grand soupir.

— Ils m'ont convoquée à un entretien avant le concours, ils voulaient que j'essaie le maillot de bain et que je m'entraîne à marcher en faisant des allées et venues dans la pièce. Ils étaient deux. Ils prétendaient que c'était bien de faire une sorte de répétition générale avant le grand jour pour assouplir ma démarche et voir si j'avais ça dans le sang. Quand je me suis retrouvée en maillot, l'un d'eux a pris mon tour de poitrine et mon tour de hanches avec un mètre de couturière tandis que l'autre vérifiait ma taille avec un mètre de menuisier. Il m'a posé un livre sur la tête et a tracé une marque sur le mur au crayon à papier. Puis il a annoncé que je faisais un mètre soixante-treize, ce qui est un peu trop pour une candidate au titre de miss, mais convenable pour être mannequin. Sottises, a répondu l'autre, elle pourra devenir mannequin et faire de la publicité après Long Island.

Rannveig s'accorde une pause, elle baisse les yeux.

— Ensuite, l'homme qui avait mesuré ma taille est parti et je suis restée seule avec l'autre. Il a fermé la porte à clef en disant que j'avais ça dans le sang. Que j'irais à Long Island, et qu'il m'accompagnerait lui-même. Il m'a dit que je devrais parler du feu qui couve sous la terre, des glaciers et des chutes d'eau. Pour me débarrasser de lui, je lui ai répondu que j'avais un petit ami. C'était contradictoire puisque, avant ça, j'avais affirmé ne pas en avoir sachant que les jeunes filles fiancées ont moins de chances d'être envoyées à l'étranger. Il m'a rétorqué que mon amoureux pouvait attendre et que, pour l'instant, il était prévu que je dîne avec lui. Il m'a proposé d'aller manger du flétan au Naustid.

Elle s'essuie les yeux avec sa serviette, se mouche et range l'album dans son sac.

Je me lève et je lui tends la main.

Elle en fait autant et boutonne son manteau. Pendant qu'elle enfile ses gants, elle me demande si j'ai un petit ami.

Je lui réponds que oui.

— Ma grand-mère a fait une broderie à partir de la photo qui illustre l'interview. Il lui a fallu six semaines pour dessiner le modèle et le broder au point de croix sur de la toile de jute.

beauté (en tout petit)

Le biberon est posé sur la table, à côté d'un petit pain au cumin dont il ne reste que la moitié.

Tout en préparant le café, Ísey m'annonce que les vomissements ont cessé et qu'elle commence à prendre du poids.

— Les tartines que tu m'as apportées l'autre fois m'ont duré trois jours. Quand tu ramènes des *smørrebrød*, je les mange au dîner et je donne du riz au lait à Thorgerdur. J'ai commencé par les *smørrebrød* aux crevettes et j'ai terminé par ceux au rosbif sauce rémoulade.

Mais la vraie grande nouvelle, c'est qu'elle a repris l'écriture de son journal.

— Avant, j'avais trop de nausées.

Elle coupe une part de gâteau qu'elle pose sur mon assiette.

— Ce matin, j'étais assise à la table de la cuisine, Thorgerdur dormait, le gâteau cuisait dans le four et j'écrivais. Lýdur s'inquiète pour moi. Il suffit que je voie quelque chose de beau, même un rayon de lumière dans le ciel de la nuit, pour que je me mette à pleurer. Hier, en étendant les langes et la housse de couette de Thorgerdur sur la corde à linge, j'ai remarqué qu'elle avait fait un trou dans le tissu, par lequel on voyait le ciel. Il gelait, mais le temps était radieux pour la première fois depuis un mois et pendant un instant, il m'a semblé que l'éternité était à portée de main. J'ai pensé : *Plus haut vers Toi, mon Dieu*. Tu te rends compte, Hekla ! J'avais l'impression de pouvoir toucher le ciel de la pointe de mon stylo. L'impression de me tenir à distance de moi-même et de comprendre ce qui m'arrivait comme si ça arrivait à quelqu'un d'autre. Après, je suis rentrée et j'ai écrit un poème. À propos de la housse de couette. Il me semblait avoir créé de la beauté. Je ne parle pas de BEAUTÉ en majuscules comme celle des poètes, mais en tout petit : beauté. Puis j'ai secoué la tête en me disant que j'étais bête. L'éternité n'est pas à ma portée. Comparée à toi qui es fille d'un volcan et de l'océan Arctique, je ne suis qu'une fille des collines et des bruyères.

Je ris de voir mon amie si joyeuse.

— Après avoir écrit ce poème, je me suis dit que la vie était si merveilleuse que j'ai mis une robe avant que Lýdur rentre de son chantier. Il était fatigué, mais content de me voir d'humeur enjouée, en tout cas bien mieux que le week-end dernier, a-t-il dit. Il m'a demandé d'endormir la petite pour que nous puissions nous mettre au lit. J'avais à peine enfilé la robe qu'il voulait déjà me l'enlever.

Pendant la nuit, je me suis levée pour écrire quelques phrases. Lýdur m'a trouvée dans la cuisine. Il m'a demandé ce que je faisais là en pleine nuit. Est-ce que c'est l'influence de Hekla ? Tu veux imiter ses bêtises ?

Il était fatigué. Il m'a priée de l'excuser quand je suis revenue au lit. C'est tellement facile de s'égarer, Ísa chérie, a-t-il dit. Il me trouve encore jolie. Je lui ai dit que je faisais une liste de courses pour le lendemain, mais je n'ai pas précisé qu'elle se limitait à un filet d'aiglefin et une bouteille de lait. L'éternité est trop vaste pour moi, Hekla. C'est comme être seule au milieu d'un désert. Je m'y perdrais. Moi, je me contente de camper deux nuits dans le bois de bouleaux de Thrastaskógur où Lýdur aide ses parents à construire un chalet d'été. J'essaie de m'abriter de la bise et je souffle dans le matelas gonflable. Je cuisine sur le réchaud pour les hommes au chant d'un bécasseau. L'oiseau ignore que je l'écoute. Tu sais de quoi je rêve, Hekla ? De foie et d'œufs de poisson. Mais il n'y en aura pas avant janvier. Je ne parviens pas à m'accorder aux saisons. Quand l'automne arrive avec sa nuit, la lumière et les reines-des-prés me manquent. Au printemps, j'ai envie de boudin frais et en automne, je rêve de gober des œufs de fulmar.

Elle coupe deux tranches de gâteau, en met une dans mon assiette et une dans la sienne.

— Après m'être rendormie, j'ai rêvé que j'accouchais, mais que je ne trouvais pas de sage-femme. Finalement, j'ai mis l'enfant au monde toute seule. C'était une grande et belle petite fille, mais je n'arrivais pas à couper le cordon qui était attaché à son nez.

Je n'ai même pas de numéro

Mon marin errant est de retour.

Je l'aperçois en sortant de l'hôtel Borg, adossé à un mur, un peu plus bas dans la rue, en face de la poste, tête nue dans la tempête de neige. Il tient son sac à la main et porte le même chandail en laine islandaise que le jour où je lui ai dit au revoir. Dès qu'il me voit, il se précipite.

— Comment s'est passé le voyage ?

— J'ai cru que je n'y survivrais pas, Hekla. Il gelait à pierre fendre, les plus endurcis ne portaient pas de bonnet et ils avaient les cheveux pleins de glaçons.

Quand nous arrivons rue Stýrimannastígur, il s'affale de tout son poids sur le divan et se prend le visage dans les mains sans rien dire avant de lever les yeux.

— Au retour, la mer était déchaînée, on a essuyé une déferlante qui a failli nous couler, il n'y avait plus que les mâts et la passerelle qui dépassaient des flots. On a dû casser la glace qui s'accumulait sur le rafiot pour l'empêcher de couler. Le capitaine nous a fait enfiler les gilets de sauvetage et on a tous prié. Après l'Amen, on a continué à casser la glace. J'ai bien cru qu'on allait sombrer.

Il se lève.

— Je voulais rester à Hull quand on a accosté, mais ces salauds l'ont senti, ils ne m'ont pas lâché une minute, ils ne m'ont pas laissé descendre à terre tout seul. Le seul point positif de ce voyage, c'est que je suis allé visiter le musée des beaux-arts avec un autre matelot qui me chaperonnait. Quand ça s'est su, ils lui ont fichu la paix, mais pas à moi.

Il ouvre son sac.

— Ton souhait est exaucé. Je t'ai acheté deux livres et un tailleur-pantalon blanc à pattes d'éléphant avec une ceinture, c'est la mode.

Il brandit un des livres.

— Celui-ci vient de paraître, il s'intitule *The Bell Jar*, d'une romancière américaine. Elle s'est suicidée cet hiver.

Je regarde l'autre livre.

— Et celui-là, c'est aussi un roman ?

— Non, c'est l'œuvre d'une philosophe française. *Une* philosophe.

— Ça parle de quoi ?

— La libraire m'a dit que ça traitait des femmes en tant que deuxième sexe. Tu es donc numéro deux, Hekla. Il poursuit après une brève hésitation : Moi, je suis bien plus loin dans la file. Je n'ai même pas de numéro.

— Ces femmes, elles vivent de leur plume ?

— Certaines, oui. Évidemment, elles n'écrivent pas dans une langue parlée par cent soixante-quinze mille personnes seulement, dit-il.

Il a l'air grave, on dirait qu'il est préoccupé, ou absent.

— Nous avons débarqué à Hafnarfjördur et, dans le taxi qui m'a conduit en ville, j'ai appris qu'on avait vu ma petite amie marcher main dans la main avec un garçon.

Il me dévisage.

— Qui est-ce ?

— Il s'appelle Starkadur, il a passé son bac au lycée de Reykjavík. Il a étudié le latin et il est poète.

— Donc c'est ton amoureux ?

J'hésite.

— Il m'a proposé d'emménager chez lui. Il loue une chambre avec une cuisine partagée rue Skólavördustígur.

— Et tu vas le faire ? Tu vas vivre avec lui ?

— Oui.

Jón John marque un silence puis reprend.

— Je t'envie. Moi aussi, j'aimerais bien avoir un petit ami.

Dans la soirée, j'entends des miaulements à l'extérieur. Je descends pour ouvrir au chat qui attend à la porte et se faufile aussitôt dans la maison.

— Je te présente Odin, dis-je, il vit ici, chez nous.

Mon marin prend l'animal dans ses bras et le caresse.

Le chat ferme les yeux et ronronne.

— Ton Odin est une femelle, annonce-t-il.

— Je sais.

Il m'observe.

— Vous avez les yeux de la même couleur.

Il gratte le chat derrière l'oreille et lui fait encore quelques caresses.

— Odin va bientôt avoir des chatons, conclut-il.

La terre de nos mères

Je quitte la chambre mansardée de la rue Stýrimannastígur pour une autre, rue Skólavördustígur. Au sous-sol du bâtiment, il y a un tapissier d'ameublement, un crémier et un encadreur, et en face, un cordonnier et un barbier. Il y a aussi une épicerie, un teinturier et un atelier qui fabrique des jouets, où l'on répare les yeux des poupées dont les paupières ne ferment plus.

Quand j'arrive pour prendre ma valise, je trouve Jón John allongé sur le lit, un bras sous la tête. Le chat est couché à ses pieds. Je lui dis que le poète m'attend en bas.

Il a les yeux gonflés.

— Tu es malade ?

— Non.

— Triste ?

Il se tourne vers moi et me regarde.

Je voudrais qu'il me rende un service. Est-ce que je peux laisser ma Remington chez lui pendant quelque temps ? Et venir écrire ici après ma journée de travail ?

— Ton poète n'est pas au courant que tu écris ? Tu ne lui as rien dit ?

— Pas encore.

— Viens avec moi, Hekla. Partons tous les deux pour l'étranger.

— Que veux-tu que j'aille faire là-bas ?

— Écrire.

— Des choses que personne ne pourra lire ?

— Moi je les lirai.

— Je voulais dire, à part toi.

— Nous sommes pareils, Hekla.

Je m'assieds sur le bord du lit.

— Ça coûte cher de voyager. Où trouverais-je l'argent pour la traversée ? Je suis payée au lance-pierres. Et comment faire pour avoir des devises ?

— Rien n'est beau ici. Il fait toujours froid. Il y a toujours du vent.

Je me lève. Le chat m'imite et vient se frotter à ma jambe.

Jón John se redresse sur le lit.

— Je viendrai tous les jours, dis-je.

— Hekla, je peux garder Odin jusqu'à ce que je parte pour de bon ? Au plus tard avant Noël. Avant les tempêtes qui finiront par couler ce rafiot.

Je le serre dans mes bras en lui disant que c'est d'accord.

— Chaque fois que je me sens triste, j'imagine que

je suis ton chat.

— Je passerai demain.

Il caresse Odin.

— Hekla, je t'aurais épousée si j'étais normal. Mais ça n'arrivera jamais, ajoute-t-il.

Le poète porte ma valise. Sur le trajet, il s'arrête à la bibliothèque de la rue Thingholtsstræti, histoire de vérifier que toutes les fenêtres sont fermées. Je l'attends pendant qu'il fait le tour du bâtiment et qu'il monte les marches quatre à quatre pour s'assurer que la porte est bien verrouillée.

Le vent tournoie autour du clocher de l'église en construction au sommet de la colline de Skólavörduholt, il balaie les détritus qui jonchent le sol. En approchant de la chambre, on entend les ronflements puissants d'un moteur.

— C'est le Gullfaxi qui décolle pour Copenhague, dit le poète.

L'avion attend sur la piste. Ses hélices ronflent, il s'élance, l'ombre de son aile glisse un instant sur le toit en tôle ondulée de la maison.

Je me dis : Il suffit de six heures pour aller à l'étranger avec ces ailes d'acier.

La musique seule peut parler de la mort

Le poète m'a fait de la place dans son placard, il a libéré quelques cintres. En dehors des vêtements que m'a achetés Jón John, je n'ai pas grand-chose.

— Quatre cintres, ça te suffit ? demande-t-il.

Il y a quatre chambres sous les combles, toutes occupées par des hommes célibataires. Starkadur m'explique que l'un d'eux étudie la théologie à l'université. Un autre travaille à la cimenterie et ne rentre chez lui que le week-end, il passe son temps à boire tout seul et se couche tôt. Il lui arrive de pleurer, mais il ne fait pas beaucoup de bruit. La chambre attenante à la nôtre est occupée par un mécanicien de marine qui est en train de devenir sourd et qui met la radio très fort quand il est à terre. Il écoute les informations et tous les bulletins météo de la journée, la radio marine ainsi que l'émission où les auditeurs dédicacent des chansons aux marins le jeudi. Là, il monte le son à fond. Quand les piles commencent à fatiguer et que l'appareil grésille, il les met sur le radiateur de la cuisine pour les faire durer plus longtemps.

Le poète me montre ensuite la cuisine, commune aux quatre chambres, tout comme le lavabo du cabinet de toilette. Elle est équipée d'une cuisinière Siemens et, dans le renfoncement de la soupente, il y a une petite table où je me vois déjà écrire.

— Ici, tu pourras faire à manger, dit le poète.

On aperçoit par la lucarne les échafaudages de l'église Hallgrímskirkja et, à l'arrière-plan, un petit bout du mont Esja, les détroits de Sundin couverts par un banc de brume et la montagne écimée par un long voile blanc.

Le poète a libéré une partie de sa bibliothèque pour moi, il me regarde sortir les livres de ma valise, passe l'index sur les dos et s'étonne.

— Tu lis des auteurs étrangers ?

— Oui.

Il attrape *Ulysse* et le feuillette.

— 877 pages.

— Eh oui !

— Tu l'as lu jusqu'au bout ?

— Oui, en m'aidant d'un dictionnaire.

— Tu n'as pas beaucoup d'auteurs islandais, remarque-t-il en souriant.

Il prend un volume sur son étagère.

— Tout est là. Chez nos poètes, dit-il en tapotant la couverture comme pour donner du poids à son propos. *Je sais qu'en Islande, il est un mot pour chaque pensée qui vient au monde.*

Il me sourit et remet Einar Ben à sa place.

— Inutile de traverser le ruisseau pour aller chercher de l'eau, ajoute-t-il avant de choisir un autre recueil sur le rayonnage.

Nous sommes assis côte à côte sur le lit. D'une main il me tient l'épaule et de l'autre, il tient Grímur Thomsen. Il ne me lâche que pour tourner une page.

— Écoute ça, dit-il.

Tout au fond de ton cœur
que ce soit dans la joie
ou bien dans la douleur
sonne le chant de l'Islande.

Il ferme le recueil et le replace sur l'étagère.

— Il y a un relieur qui travaille dans un sous-sol, rue Laugavegur, il s'appelle Bragi Bach, il pourrait relier tes livres si tu veux.

Quand j'ai fini de ranger mes livres, je pose le portrait de ma mère sur l'étagère. L'air concentré, elle regarde quelque chose qui se trouve hors champ, on dirait qu'elle scrute le ciel pour voir le temps qu'il fera ou qu'elle observe les nuages.

Hier, mon épouse a subi l'ablation d'un sein, écrit mon père dans son carnet de bord entre deux considérations météorologiques.

Elle n'a pas mis longtemps à mourir.

Un jour elle est là, à faire des crêpes au seigle, puis soudain, en pleine période de l'agnelage, elle n'est plus là. J'étais seule avec elle à l'hôpital quand elle est morte, mon père et mon frère étaient occupés à la bergerie. Elle était méconnaissable, elle avait du mal à respirer. Des taches sombres étaient apparues sur sa peau. J'ai posé un bouquet de pissenlits sur sa couette. En glissant ma main dans la sienne, j'ai senti sa chaleur. Puis elle a rendu son dernier soupir et sa main a refroidi. L'église aussi était froide après l'hiver. Des essaims de mouches mortes l'été précédent s'étaient accumulés dans les cadres des fenêtres. Mon frère était assis entre mon père et moi sur le banc en bois si dur, des étoiles dorées scintillaient sur la voûte peinte en bleu. Le cercueil s'est enfoncé dans la terre. Après la collation, nous sommes rentrés à la maison, papa a réchauffé la soupe à la viande de la veille. Mon frère n'avait pas faim. Allongé sur son lit, le bras sous la tête, il regardait un abat-jour à franges que nous avions trouvé sur le rivage. Il était orné de miniatures peintes représentant des scènes pastorales dans une campagne florissante. Sur l'une d'elles, on voyait l'homme à la faux.

— Ma mère avait quarante-huit ans quand elle est morte, dis-je.

La musique seule peut parler de la mort, a déclaré mon père avant d'aller s'enfermer pour écrire son rapport météo quotidien.

Pas un souffle de vent. Température : huit degrés. Steinthóra Egilsdóttir, mon épouse depuis vingt ans, a été mise en terre aujourd'hui. Trente-trois agneaux sont nés. Une gangue de glace recouvre les prés, les chevaux n'ont presque rien à manger. Le labbe parasite cherche sa pitance. Les giboulées de neige gèlent les champs. Pourtant, le chuchotis des ruisseaux résonne partout dans la vallée. Et toute la journée, le lit profond de la rivière a entonné un murmure funèbre.

Est-ce que tu savais, ma petite Hekla, dit mon père en refermant son carnet de bord, que c'est le poète Jónas Hallgrímsson qui a forgé les deux mots islandais pour désigner l'espace : *himingeimur* et *heiðardalur ?* Il aura fallu attendre jusque-là pour inventer l'au-delà.

Le poète me prend dans ses bras.

— Je devrais peut-être mettre des rideaux, maintenant que j'ai une petite amie, dit-il.

8 h Première édition. Journal de midi.
Programme pour les marins. 15 h Journal
de l'après-midi. 18 h 50 Annonces.
19 h 20 Météo. 19 h 30 Journal.
20 h *Stenka Razine,* opus 13, poème
symphonique de Glazounov, par l'orchestre
philharmonique de Moscou.
22 h Journal et météo

Le poète pourrait s'offrir des grasses matinées puisqu'il n'embauche qu'en début d'après-midi. Mais il se réveille en même temps que moi et me regarde m'habiller dans la pénombre. Avant que je parte, il boutonne mon manteau comme si j'étais une petite fille.

Un homme s'occupe de moi.

La moitié de la matinée est déjà passée quand, enfin, quelques traces de jour percent timidement dans les ténèbres comme des lambeaux de tissu délavé.

Après le travail, je vais directement rue Stýrimannastígur où j'ai laissé ma machine, je retrouve Jón John et Odin, j'écris pendant que le poète est avec les autres poètes au Mokka. S'il ne boit pas un café là-bas, il est au Hressingarskálinn. S'il n'est pas au Hressingarskálinn, il est au 11 Laugavegur. S'il n'est pas au 11 Laugavegur, il est au bar installé sous les combles du Naustid, fréquenté par les poètes quand tous les autres établissements sont fermés. S'il n'est pas au Naustid, il est sûrement à la Kaffistofa West-End. Le soir, il lui arrive d'aller aux réunions des Jeunesses socialistes, rue

Tjarnargata. Quand il rentre à la maison, je repose le livre que je suis en train de lire et nous allons directement au lit.

Avant de m'endormir, j'observe la couleur du ciel.

— Ma mie des Dalir regarde le temps qu'il fera demain ? s'enquiert le poète.

Je demande à mon père de m'envoyer à Reykjavík la couette qu'on m'a offerte pour ma communion. *J'y ai fait rajouter un demi-kilo de duvet de canard*, m'écrit-il dans la lettre qui accompagne le paquet.

— Chaque nuit à tes côtés est tellement immense, déclare le poète.

Immortalité

C'est dimanche : je dois trouver un moyen d'aller rue Stýrimannastígur pour écrire.

Allongé sur le lit, le poète a replié son journal, *La Volonté du peuple,* sur sa poitrine.

— Ils sont en train d'installer ici une organisation qui relève du capitalisme pur et dur : les spéculateurs spolient le peuple et le profit est le mètre étalon de toute chose.

Il s'est levé, il s'enflamme et fait de grands gestes comme un tribun.

— L'Islande est indépendante depuis dix-neuf ans. Mais les grossistes ont pris le relais des rois du Danemark et des marchands qui détenaient le monopole du commerce. Ils se font construire des magasins dignes de palais le long du boulevard Sudurlandsbraut grâce aux profits qu'ils engrangent en vendant des fonds de tartes importés du Danemark.

Je lui dis que je compte rendre visite à Jón John.

— Mais tu es déjà allée le voir hier. Et avant-hier.

— Certes, mais il est en train de nous faire des rideaux pour la lucarne.

— Et il a une machine à coudre ? s'étonne-t-il.

— Oui.

Il me toise.

— Je trouve assez étrange que mon amoureuse soit amie avec un autre homme. Un homme qu'elle va voir tous les jours après le travail. Même le week-end.

Il est à côté de la lucarne. Les grêlons rebondissent bruyamment sur la vitre.

— Si je ne le savais pas si peu porté sur les femmes, je m'inquiéterais de te voir passer tout ce temps avec lui.

Il fait quelques pas dans la chambre.

— On m'a dit qu'hier, vous êtes allés voir ensemble une exposition au Chalet des artistes.

— C'est vrai, nous sommes allés voir une exposition de peinture. Qui t'a dit ça ?

— Thórarinn Dragfjörd. Il fait partie de notre bande. Le cercle des poètes du Mokka. Il a lu une de ses nouvelles à la radio.

— Oui, je l'ai salué. Il m'a parlé de toi.

— Ah bon ?

— Il m'a dit que tu étais très doué et que tu deviendrais célèbre.

— Vraiment ?

— Oui.

Il sourit.

— Je lui ai dit exactement la même chose l'autre jour.

Il est visiblement touché. Voilà qu'il a complètement oublié mon ami marin.

Il s'assied à la table, bourre sa pipe, l'allume, se relève, retourne à la lucarne et contemple la tempête de neige. Puis il retourne vers le lit.

— Que dirais-tu d'une petite sieste avant de partir ? propose-t-il. Ce soir, après dîner, nous écouterons le feuilleton radiophonique.

— Tu ne vas pas retrouver tes amis poètes ?

— Pas ce soir. J'avais plutôt prévu de m'occuper de ma petite amie.

Il me serre dans ses bras.

— Je me disais que nous pourrions aller au bal ce week-end. À Glaumbær. Au moins y faire un tour. Comme font les amoureux.

Il relâche son étreinte pour chercher le disque de Prokofiev dans sa collection.

Rideaux (un)

Pendant que Jón John coud les rideaux qui occulteront la lucarne de la rue Skólavördustígur, je travaille assise sur le lit, la machine à écrire posée sur la table de chevet. Nous avançons au même rythme : quand j'achève mon chapitre, il me tend les rideaux soigneusement pliés. C'est lui qui a acheté le tissu. Ils sont orange à carreaux violets, le bas est orné d'une bande de dentelle froncée. Il range sa machine à coudre dans l'armoire et me libère la table.

Je lui souris et je place une nouvelle feuille sur le cylindre de ma Remington.

Debout derrière moi, il me regarde écrire.

— Je suis dans ton histoire ?

— Tu es à la fois dedans et en dehors.

— Je n'appartiens à aucune catégorie, Hekla. Je compte pour du beurre.

Il s'assied sur le divan, je vais m'installer à côté de lui.

— Fais de moi un chapitre de roman pour que ma vie ait un sens. Raconte l'histoire d'un garçon qui aime les garçons.

— D'accord.

— Et qui ne supporte pas la violence.

Je hoche la tête.

— On peut dire qu'ils sont colorés, déclare le poète quand j'installe les rideaux rue Skólavördustígur. Nous voilà avec le soleil couchant et Akrafjall, la montagne pourpre, réunis sur un seul et même tissu.

Il éteint la lumière.

— Ça m'est égal que tu traînes avec un homosexuel.

Est-ce que tu savais, Hekla, m'a dit mon marin en me regardant travailler, que la machine à écrire avait été inventée cinquante-deux fois ?

Rideaux (deux)

Ísey a étendu des langes dans le froid glacial qui les a complètement pétrifiés. Je les décroche sans enlever les pinces à linge pour les rentrer.

Elle me remercie, elle les avait oubliés.

— Tu te rappelles ma voisine que j'avais vue, une nuit d'insomnie, regarder dans ma direction par la fenêtre de sa cuisine ?

— Oui.

— Ça remonte à trois mois et depuis, elle n'a toujours pas mis de rideaux dans le salon. Hier, je l'ai croisée à la poissonnerie, elle faisait la queue derrière moi tandis que le poissonnier emballait en plaisantant ce que j'avais acheté. J'ai pensé : Il y a d'autres femmes seules avec leurs enfants dans les maisons voisines. Subitement, je me suis dit qu'on pourrait préparer l'aiglefin à tour de rôle et se livrer le repas avant le retour des maris. Je vais l'inviter à prendre un café et une tranche de gâteau. En dehors de toi, elle sera la seule personne à me rendre visite depuis que j'ai emménagé à Reykjavík. Dès que ma grossesse se verra, le poissonnier arrêtera de me taquiner. Les hommes ne me regarderont plus. Une femme en robe de grossesse ne les intéresse pas.

Elle donne le biberon à sa fille tout en discutant.

— À mon retour de la poissonnerie, j'ai couché quelques lignes sur le papier pendant que Thorgerdur faisait la sieste. En moins de temps qu'il n'en faut pour le dire, j'avais écrit toute une histoire, Hekla.

— Tu veux dire une nouvelle ?

— Au sujet de la voisine. Je l'ai fait sortir dans la nuit avec son bébé qui ne dormait pas dans son landau. J'ai imaginé que l'enfant avait des coliques. C'était l'été et la nuit était claire. Le petit s'endormait, la femme marchait dans le quartier et elle croisait des hommes portant un tapis roulé dans lequel se trouvait quelque chose qu'ils venaient de sortir d'un appartement. Brusquement, elle se rend compte qu'il s'agit d'un corps. Le crime demeure une énigme pour la police, mais la femme enquête et résout le mystère. Elle découvre des pièces à conviction dans un bac à sable, des preuves que personne n'avait vues parce que la police ne fouille pas les aires de jeux. Personne ne la croit. J'ai glissé dans cette histoire une phrase issue de la vraie vie, une chose que Lýdur m'a dite : *Ne laisse pas ton imagination t'égarer, Ísa.* Cette réplique, je l'ai mise dans la bouche du policier qui prend sa déposition. Heureusement, personne ne sait que je consacre mon temps à ce genre de bêtises en pleine journée.

Elle secoue la tête.

— Je ne comprends pas ce qui m'a pris. Quelle drôle d'idée d'assassiner les gens. Le vendeur de la papeterie me reconnaît à présent. Avant, j'y allais une fois par mois, mais maintenant, c'est toutes les semaines.

Elle se tait quelques instants.

— Quand une idée me vient, j'ai l'impression de recevoir une décharge électrique, comme quand on touche le fil dénudé d'un fer à repasser.

Sur quoi, elle me demande :

— Tu n'as rien remarqué de nouveau ?

Je scrute la pièce.

Aucun tableau n'est venu s'ajouter aux trois autres.

— Les rideaux ?

Elle sourit.

— J'ai acheté une plante en pot. Un bégonia.

La vingt-troisième nuit

Je suis réveillée.

Le poète dort.

En dehors des étoiles qui scintillent au firmament, le monde est noir.

Une phrase vient à moi puis une autre, une image se dessine, cela fait toute une page, tout un chapitre qui se débat dans ma tête, pataud comme un phoque pris dans un filet. J'essaie d'accrocher mon regard à la lune par la lucarne, je demande aux phrases de s'en aller, je leur demande de rester, il faut que je me lève pour les écrire avant qu'elles s'évanouissent. Le monde sera alors plus vaste et, cette nuit encore, je serai plus grande que je ne suis réellement, je prie Dieu de me venir en aide pour rendre le monde plus petit en me donnant un océan noir, lisse et tiède, en me donnant une jolie nature morte avec un moulin hollandais comme sur le calendrier de la librairie Snæbjörn ou bien de mignons petits chiots comme sur le couvercle de la boîte de chocolats Nói dans laquelle Jón John range ses coupures de journaux, je le désire et, en même temps, je ne le désire pas, j'ai tellement envie de continuer chaque jour à inventer le monde, je n'ai pas envie de faire bouillir du poisson sur la cuisinière Siemens ni de servir les hommes au restaurant de l'hôtel Borg avec un plateau d'argent en circulant d'un nuage de fumée de cigare à un autre, j'ai envie de passer ma journée à lire quand je ne suis pas en train d'écrire. Blotti sous la couette en duvet de canard, le poète ignore tout du phoque qui se débat dans ma tête, il tend le bras vers moi, je le laisse faire et je cesse de m'accrocher aux mots, demain matin ils auront disparu, j'aurai perdu mes phrases. Chaque nuit, j'en perds quatre.

C'est du travail d'être poète

Quand je rentre de l'hôtel Borg, le poète m'attend avec une bonne nouvelle.

— Un de mes poèmes va être publié dans *La Volonté du peuple*.

Il m'explique qu'il a envoyé *La Braise rougeoyante* à la rédaction au printemps dernier.

Il est heureux, distrait, il me prend dans ses bras. Puis il relâche aussitôt son étreinte et marche dans la chambre.

— J'ai demandé à Stefnir Skáldalækur, le Ruisseau des poètes, de relire le texte, il l'a adoré, il a surtout apprécié la manière dont j'ai utilisé deux fois le mot *enfer :* « mains glaciales comme l'enfer, sables profonds comme l'enfer… au lever du jour ».

Il m'a proposé de changer un mot, de remplacer « jusqu'à ce que la mort te prenne » par « jusqu'à ce que la mort attaque ». Il suffit parfois d'un mot, m'a-t-il dit.

— En effet, c'est une tout autre tonalité, dis-je.

Le poète s'arrête et s'assied sur le lit, tenaillé par le doute.

— J'ai l'impression que j'aurais dû changer deux autres mots dans la strophe qui commence par « panse les blessures » et se termine sur « la brume du crépuscule recouvre l'espérance ».

Il récite le poème à voix basse.

— Et je me demande si « encor » ne serait pas mieux que « encore ».

Il allume sa pipe, attrape un recueil dans la bibliothèque et le feuillette, en quête d'un poème bien précis. Il a renoncé aux Chesterfield au profit de sa pipe. Il lit quelques lignes en silence puis ferme le livre et le repose.

— Je n'arriverai jamais à cerner l'hiver de la mort, dit-il en se levant.

Il se demande s'il ne ferait pas mieux d'aller directement à la rédaction du journal, peut-être que les rotatives ne sont pas encore lancées ?

— Mais ce poème est bien comme il est, tu ne penses pas ?

— Bien, ça ne suffit pas, Hekla.

Il se rassied sur le lit et se prend le visage dans les mains.

— Le texte est trop lâche. La construction est prévisible, le choix des mots n'est pas assez précis, il manque de profondeur, et la forme n'est pas assez concise. Il vaudrait peut-être mieux retarder la publication. Je vais demander au journal d'attendre.

Je m'assieds à côté de lui, un bras sur son épaule.

— J'ignore où je me situe parmi les poètes, Hekla. Tout ce que je sais, c'est que j'ai ma place au café Mokka.

Son regard se perd dans le vague.

— J'ai l'impression qu'ils me considèrent comme un des leurs, mais en même temps, je me sens en dehors. Quand j'ai montré le poème à Stefnir, il m'a tapé sur l'épaule en disant que j'avais ça dans le sang.

Je lui caresse les cheveux.

— Jamais je n'aurai le talent de Stefnir. Je ne lui arrive pas à la cheville. Je suis prometteur, mais c'est tout.

Il secoue la tête.

— Hier soir, au bar du Naustid, Stefnir nous a lu les premières lignes du roman auquel il travaille en ce moment.

Le poète arpente la chambre de long en large. Il cherche les mots adéquats. Il s'arrête face à moi et me regarde intensément.

— C'était mieux que du Laxness ou du Thórbergur Thórdarson. Nous parlons peut-être là de notre prochain prix Nobel, Hekla.

— Il a déjà publié quelque chose ?

— Pas encore.

— Peut-être parce qu'il ne dessoûle jamais et qu'il n'est pas très productif.

Le poète fait comme s'il ne m'avait pas entendue.

Il s'approche de la lucarne et garde le silence un moment.

— C'est du travail d'être poète, Hekla. L'inspiration n'a rien à voir avec le rendement. On se soucie du rendement quand on charge un navire ou qu'on creuse un fossé. Si on travaille à la cimenterie ou dans une station baleinière, c'est le rendement qui compte. Ou si on construit des ponts. Mais quand on est poète, il n'est pas question de rendement.

Il reprend sa pipe dans le cendrier et la rallume.

— Les vrais écrivains sacrifient leur vie à leur vocation. Stefnir n'est pas fiancé. Contrairement à certains poètes, je dois m'occuper de mon amoureuse.

— Nous sommes fiancés ?

— Non, mais ça pourrait venir.

Il sourit.

— En revanche, tous les poètes m'envient. Je leur ai dit qu'on t'avait invitée à participer au concours de Miss Islande et ils m'ont demandé ce que ça faisait de vivre aux côtés d'une reine de beauté.

— Alors, ça fait quoi ?

Il me passe les bras autour du cou.

— Puisqu'il y a une femme dans cette maison désormais, je me suis dit qu'il fallait installer un miroir.

Je balaie la chambre du regard et je remarque un petit miroir fixé à côté de l'armoire.

— Je l'ai peut-être placé un peu trop haut, dit-il d'un air inquiet.

Puis il s'avance vers l'électrophone, sort un disque

de sa pochette et met *Love Me Tender*.

Le saphir craque.

— Si les poètes savaient que j'écoute Elvis avec ma petite amie... Ma muse consent-elle à m'accorder cette danse ?

Le blanc

J'attends devant la porte du sous-sol depuis un bon moment déjà. Personne n'est venu m'ouvrir. J'allais repartir quand Ísey arrive avec son landau en slalomant entre les plaques de verglas. Elle est toute pâle et ses joues sont glacées.

— J'avais besoin de voir des gens, dit-elle. Alors je suis allée rendre visite au peintre dans son atelier. Je voulais lui dire que je le comprends. J'ai fait tout le trajet à pied puisqu'il est interdit de prendre l'autobus avec un landau, premièrement parce que les bus sont pleins à craquer et deuxièmement parce que les landaus cognent dans les jambes et font filer les bas-nylon.

Je l'aide à rentrer le landau, elle sort la petite de sa combinaison matelassée et lui ôte son bonnet. Puis elle met le biberon à chauffer dans une casserole et me dit qu'elle va faire du café. Sa grossesse commence à se voir, on devine un petit bidon sous sa jupe. Je me dis que la robe chasuble que Jón John m'a offerte lui irait peut-être.

— Tu l'as rencontré, le peintre ?

— Oui, il est très sympathique. Il m'a serré la main,

de sa paume calleuse. C'est à cause du manche du pinceau.

Je lui ai dit que j'avais trois de ses tableaux, que je lui ai décrits. Il les a immédiatement identifiés et m'a confié qu'il devait encore y avoir des pots de peinture, de la térébenthine et des chiffons dans les failles d'une petite colline de lave où il a peint l'un de ces tableaux.

Il m'a expliqué qu'on pouvait voir des traces du manche du pinceau dans la peinture et que si je nettoyais un de ces tableaux à l'huile de paraffine, un autre tableau apparaîtrait. Une image dont personne ne connaît l'existence à part lui. Et moi. Et désormais toi, Hekla. J'avais Thorgerdur dans les bras, il m'a dit que c'était une belle enfant. Pourtant, elle pleurnichait. Il m'a demandé comment étaient les cadres, en ajoutant que beaucoup de tableaux sont gâchés par l'encadrement. Je lui ai décrit les nôtres et il était satisfait. Je lui ai dit que j'habitais dans un appartement en sous-sol au numéro 12 de la rue Kjartansgata, qu'on n'y voit pas le soleil cinq mois durant, mais que la lumière de ses toiles me sauvait car elle illuminait le salon. Il était heureux de l'entendre. J'aurais voulu dire qu'elle *illuminait ma vie*, mais j'avais trop peur d'éclater en sanglots. Quand il a dit que le blanc était la couleur la plus difficile à maîtriser parce qu'elle est tellement fragile, j'ai dû tourner la tête pour essuyer une larme. Il dit de si belles choses, Hekla. Il m'a dit qu'il était malheureusement à court de café, mais qu'en contrepartie il allait me confier un autre secret, à savoir que sous le blanc, il y a du vert. Nous sommes maintenant trois à le savoir : lui, toi et moi. Avant de le quitter, je lui ai dit que j'avais peur que mon mari revende ses toiles pour acheter le ciment qui servirait aux fondations d'une maison à Sogamýri. Et là, il m'a proposé de racheter les tableaux lui-même pour que mon mari puisse payer son ciment.

Assise à la table de la cuisine avec la petite qui s'agite, elle se tait un moment en me lançant des regards inquisiteurs.

— Tu n'as toujours pas avoué à ton poète que tu écris ?

Elle aurait aussi bien pu me demander : Est-il au courant que tu caches en toi une bête sauvage qui n'attend que d'être libérée ? Un écrivain est-il capable de comprendre un autre écrivain ?

— Il ne m'a pas posé la question, dis-je.

— Il t'a déjà emmenée au café Mokka ?

— Je l'ai évoqué une fois avec lui.

— Et qu'est-ce qu'il a répondu ?

— Que personne ne vient avec sa petite amie. Et qu'il pensait que je n'aimais pas le café.

— Les hommes naissent poètes. Ils ont à peine fait leur communion qu'ils endossent le rôle qui leur est inéluctablement assigné : être des génies. Peu importe qu'ils écrivent ou non. Tandis que les femmes se contentent de devenir pubères et d'avoir des enfants, ce qui les empêche d'écrire.

Elle se lève, pose la petite dans son lit à barreaux et remonte la boîte à musique.

Puis elle me raconte le rêve qu'elle a fait cette nuit.

— J'ai rêvé d'un saladier rempli de beignets tout juste frits, et je ne sais pas comment l'interpréter. Maintenant j'ai peur que ça ne représente mes enfants. Ma vie est finie si je tombe enceinte à nouveau. Si cela arrivait, je deviendrais comme la femme qui vit dans l'appartement d'en face. Elle ne sort même plus faire ses courses.

Miss Aurore boréale

Et puis il est parti. Mon marin.

Dehors le déluge et la tempête se déchaînent. Il n'y a pas grand monde dans la salle de restaurant. Tout à coup, je l'aperçois sur le seuil de la porte, il me regarde, sac à l'épaule, et je comprends qu'il vient me dire au revoir. Une place s'est libérée au dernier moment dans l'équipage d'un cargo, un de ces navires dont le nom se termine par *foss*, et qui part ce soir pour Rotterdam. Il me tend d'un air grave la clef de sa chambre pour que je puisse aller chercher le chat et la machine à écrire.

Il a donné son congé au propriétaire.

— De toute manière, il allait me mettre à la porte, ajoute-t-il.

Je ne lui demande même pas s'il reviendra.

Il me dit de me servir dans les livres qui m'intéressent et me prie d'envoyer le reste de ses affaires à Búdardalur par l'autocar.

Il me serre fort dans ses bras puis il me dit qu'il

doit y aller.

À peine ai-je inséré la clef dans la serrure que j'entends miauler. Le chat fait le dos rond et s'étire. Je me baisse pour le caresser. Odin a grossi.

Les livres sont empilés sur la table et, au sommet d'un grand carton ouvert au milieu de la pièce, j'aperçois la cape en plumes, que Jón John a emballée.

Mais ce qui attire le plus mon attention, c'est la robe longue sans manches étendue sur le lit. Je touche le tissu. Je prends l'enveloppe posée sur le vêtement, qui m'est destinée.

Je l'ouvre.

Essaie cette robe.

J'ai vu une photo de Jacqueline Kennedy dans un magazine de mode et j'ai dessiné cette robe en m'inspirant de la sienne. La sienne est blanche, la tienne a le vert des aurores boréales. Je te vois déjà me demander : Mais qu'est-ce que je vais faire d'une robe de soirée ? Tu n'as pas besoin d'une occasion particulière pour porter une belle robe, Hekla, tu es Miss Aurore boréale.

Je t'écrirai dès que j'aurai trouvé un travail dans un théâtre.

Ton DJ Johnsson

P.-S. Donne la machine à coudre à Ísey. J'y joins deux patrons de robes de Noël, un pour une petite de douze mois, l'autre pour une femme enceinte de quatre mois.

Le poète est parti au Mokka quand je rentre avec le chat, la robe et la machine à écrire. Pour l'instant, je range la Remington sous le lit, dans ma valise. Le chat explore la chambre puis saute sur la couette et se couche en boule au pied du lit.

Je pends la robe dans le placard.

Le poète rentre au moment où je fais cuire le poisson.

Le chat n'aura selon lui aucun mal à sortir par la lucarne puis, en longeant la gouttière, à descendre sur le toit du garage du voisin.

Il prend un à un les disques que j'ai alignés sur le lit, il s'attarde sur l'un d'eux en examinant la pochette.

— Bob Dylan, dit-il en le tournant pour lire le verso. Ça n'a pas l'air de ressembler à du Rachmaninov.

Quand je reviens dans la chambre après avoir fait la vaisselle, le placard est ouvert. Le poète m'interroge sur la robe de soirée. Il est tombé sur cette splendeur miroitante d'aurores boréales en allant pendre sa veste.

— Et il n'y a plus de cintre libre.

Dédicaces aux marins

Le poète fait les cent pas dans la chambre.

En écoutant la radio, il a entendu par hasard un message de moi dans l'émission où les auditeurs dédicacent des chansons aux marins.

— « À DJ Johnsson sur le cargo *Laxfoss*. Avec toute ma tendresse. »

Il exige une explication.

— C'est ma façon à moi de l'encourager. On le traite tellement mal à bord. Et il a le mal de mer.

— Tu es mon amoureuse. Je ne suis pas prêt à te partager. Même pour une dédicace à la radio.

Il réfléchit.

— D'ailleurs, tu ne lui as pas dédicacé une valse comme les autres auditeurs, tu as choisi un titre des Beatles : *Love Me Do*. Et ça détonnait.

Il éteint la radio, traverse la chambre et me demande sans détour :

— Vous avez couché ensemble ?

Je ne suis pas sûre que l'expression *coucher ensemble* soit appropriée pour qualifier ce que nous avons fait dans ce creux tapissé de bruyères derrière la colline de la bergerie.

— Une fois.

— Mon Dieu… Je n'y crois pas !

Il va et vient comme un fou dans la pièce, se prend la tête dans les mains, ouvre la lucarne et la referme aussitôt, fouille dans ses disques, en sort un de sa pochette, renonce à poser Chostakovitch sur l'électrophone, le range, cherche un livre dans la bibliothèque, hésite et arrête finalement son choix sur les *Sermons* de Vídalín. Est-ce qu'il cherche une réponse du côté de Dieu ? Il feuillette le livre à toute vitesse, puis le repose sur l'étagère et s'avance vers le bureau.

— Je croyais que les femmes n'étaient pas son truc.

— Nous étions adolescents.

Je réfléchis.

— On voulait voir comment c'était. Ça n'allait pas plus loin que ça. J'aurais pu ajouter : Nous n'étions même pas entièrement nus.

— Il y a combien de temps ?

— Cinq ans.

— C'était le premier ?

— Oui.

— Et tu étais sans doute aussi son premier amour ?

— Je ne dirais pas *amour*...

En tout cas, pas comme dans *ô mon amour*, me dis-je.

Il me coupe la parole.

— Les femmes n'oublient jamais leur premier homme.

— Je viens de te dire que nous étions adolescents.

— Et toi, tu seras à jamais la seule femme de sa vie...

Je ne réponds rien.

— C'est indéniable, n'est-ce pas ?

— Il a tout de même une mère...

Je m'avance et je le prends dans mes bras.

— Pardonne-moi.

Je lui caresse la joue.

— Oublions tout ça.

Le poète s'est calmé, il rallume la radio qui retransmet un concerto pour violon interprété par l'Orchestre philharmonique de Moscou.

Il bourre sa pipe, puis il tend la main vers la bibliothèque et attrape *La Faim* de Knut Hamsun.

— Ma mère me faisait parfois de l'Entremets Royal

au chocolat le week-end. Il suffit d'un saladier et d'un fouet.

Entre ta conscience et mes lèvres

Le vent souffle de plus en plus fort, il se déchaîne. Le chat a disparu. J'ai beau l'appeler, il ne répond pas. Après l'avoir cherché dans tout le quartier, je me dis qu'il est peut-être retourné rue Stýrimannastígur, mais il n'y est pas non plus. En rentrant, je m'arrête au Mokka pour demander à mon poète s'il n'aurait pas vu notre Odin pleine de chatons à naître. Sous le voile de neige presque transparent qui couvre le trottoir devant le café, je crois voir un ver de terre qui se tortille, chose surprenante en cette saison.

Je vais droit à la table des écrivains. Le silence s'abat sur le groupe à mon arrivée.

Les poètes se serrent les uns contre les autres sur la banquette pour me faire de la place, mais je leur dis que je ne reste pas. Starkadur se lève, nous discutons à voix basse.

Il ne sait pas où est Odin.

— À tout à l'heure, me dit-il en jetant un œil à ses camarades.

Ils nous observent en silence.

En rentrant, tard le soir, il m'annonce :

— J'ai trouvé ça un peu gênant. Tu as débarqué tout à coup, comme si tu venais me chercher.

Il retire son chandail et se passe la main dans les

cheveux.

— Nous parlions de Steinn Steinarr, reprend-il en me serrant dans ses bras. *Entre ma conscience et tes lèvres s'étend un océan sans routes.* Mais ils t'ont trouvée mignonne, reprend-il. J'étais fier comme pas permis en te voyant arriver avec ton béret rouge sur tes cheveux lâchés. Ægir Skáldajökull, le Glacier des poètes, dit que tu ressembles à une héroïne de la résistance française, quant à Dadi Draumfjörd, le Fjord des rêves, il t'a comparée à une jeune pouliche encore indomptée.

Il sourit.

— C'est moi qui ai la plus jolie petite amie, et de loin.

Il s'assied sur le lit en se tortillant vers moi. Puis il reprend son air grave.

— Stefnir a des problèmes en ce moment.

— Ah bon ?

— Il a perdu son manuscrit. Il a trouvé le moyen de l'oublier au bar du Naustid. À part les premières lignes, celles qu'il nous a lues, il n'avait autorisé personne à y jeter un œil, mais il dit qu'il était quasi prêt. Il ne lui manquait plus qu'une relecture. Quand il s'en est rendu compte quelques jours plus tard, il y est retourné, mais personne n'avait trouvé ce fichu manuscrit. Il se dit qu'il l'a peut-être oublié ailleurs, mais il ne se rappelle pas où. Peut-être au vestiaire de l'hôtel Holt. Il est parti chez sa mère à Hvolsvöllur pour noyer son chagrin.

Il se tourne vers moi.

— Est-ce qu'on t'a déjà dit que tu es belle ?

Il me sourit et attrape l'*Odyssée* sur l'étagère.
— Tu es ma Pénélope.
Au milieu de la nuit, j'entends comme des miaulements à la porte du rez-de-chaussée.
Je me redresse dans le lit.
— Je descends ouvrir, Hekla chérie, dit le poète.

Le *Laxfoss*

DJ Johnsson n'est pas à bord du *Laxfoss* quand le cargo repart de Rotterdam.
L'équipage était trop soûl pour s'apercevoir qu'il avait disparu et personne à bord ne savait où il était passé. Le navire a donc levé l'ancre sans lui.
— Il ne sera plus engagé sur aucun bateau, me dit le capitaine quand je lui demande ce qu'il est advenu de mon marin.
À l'hôtel, on m'autorise à téléphoner à sa mère. Elle se souvient bien de moi. Je la préviens que j'ai envoyé un carton par l'autocar. Elle me demande si je pense que son fils reviendra un jour. Je réponds que je l'ignore. Elle le décrit comme un garçon gentil et doux, elle parle de lui au passé comme s'il était mort. Il avait les yeux marron et les cheveux bruns, dit-elle. Il cueillait des violettes et les mettait dans des flacons d'extrait de vanille pour décorer la maison. Il dessinait des arcs-en-ciel. Il était très adroit de ses mains. J'avais acheté du tissu pour confectionner des rideaux et un jour, alors que je rentrais du travail, il les avait cousus et

accrochés dans la cuisine. À dix ans. Je ne lui avais même pas montré comment se servir de la machine à coudre, il avait appris tout seul. C'était un enfant joyeux, mais les autres ne le laissaient jamais tranquille. Ils avaient entendu des choses chez eux. Il était mis à l'écart. Les enfants sont sans pitié, mais les adultes sont pires encore.

L'oreille écorchée

Le toit en tôle ondulée luit comme de l'argent sous l'effet du gel. La chatte a du mal à le traverser. La future mère n'ose plus sauter sur le garage du voisin, alors je la fais sortir le matin en partant au travail. Elle m'accompagne un moment puis rebrousse chemin. Quand je rentre en fin d'après-midi, elle m'attend à la porte.

Je fais cuire du poisson et des pommes de terre à l'eau chaque soir pour nous trois : elle, le poète et moi. Ça va vite. Je bois un verre de lait pendant le repas. Il m'arrive de faire du riz au lait que nous dégustons avec du sucre et de la cannelle.

Le poète envisage de quitter la bibliothèque et de chercher une place de veilleur de nuit.

— Je n'ai pas le temps d'écrire à la bibliothèque, dit-il. Et puis l'inspiration est tributaire du cadre.

L'hôtel Skjaldbreid recherche justement un veilleur de nuit pour assurer les gardes en alternance avec Áki Hvanngil. Áki travaille à un recueil de poésie, et dit que ses meilleures idées lui viennent la nuit.

— On ne peut pas créer si on est constamment dérangé.

— Tu ne pourrais pas écrire le matin, avant de partir pour la bibliothèque ?

— Je ne suis pas du matin, Hekla.

Dès que le poète est endormi, je me relève, j'allume la lampe de bureau et je sors mon livre.

Il ouvre brusquement les yeux. Il reste d'abord tout à fait immobile et m'observe, puis il se redresse et s'assied. Il veut savoir ce que je lis. Je lui tends le livre, il regarde la couverture, feuillette quelques pages et lit le titre à voix haute.

Il me dévisage.

— C'est un des livres de l'autre homo ?

Il a son air sévère.

— Il y a dans tes lectures des choses qui écorchent l'oreille d'un poète, Hekla, dit-il avant de se recoucher en se tournant vers le mur.

Je poursuis ma lecture sur le deuxième sexe.

C'est en exerçant une activité rémunérée que la femme a pu réduire l'essentiel de l'écart avec la condition masculine, et c'est le seul moyen pour elle d'assurer son indépendance.

Je me dis que c'est mon cas, mais mon salaire est si bas que je ne réussirai jamais à économiser assez pour partir à l'étranger.

Tu me manques

Les pieds dans la neige fondue, baigné d'une lumière grise comme du petit lait, le facteur me tend une carte postale. Hekla Gottskálksdóttir, annonce-t-il. Je sais qu'il a envie de savoir qui m'envoie une photo de tulipes rouges accompagnée de ce *Tu me manques*. Une autre carte arrive deux semaines plus tard, c'est un portrait du roi Frédéric IX de Danemark en tenue d'apparat.

J'ai trouvé un travail et un logement.

—Tu as encore reçu du courrier de ton homo, commente le poète.

La fois suivante c'est une lettre cachetée où figure l'adresse de l'expéditeur.

Jón John m'écrit qu'il a d'abord logé chez l'habitant avec petit déjeuner inclus. Désormais, il loue simplement une chambre.

J'ai rencontré un homme, Hekla, ajoute-t-il.

Puis il m'envoie des livres écrits par des femmes. Un livre par paquet.

Je vais les chercher au bureau de poste.

Au fil des semaines, je reçois *Nouveaux contes d'hiver* de Karen Blixen (sur un bristol qu'il a glissé dans le livre, il précise qu'elle a également écrit sous le nom d'Isak Dinesen), *Rue de l'enfance* de Tove Ditlevsen et *Lumière* d'Inger Christensen.

Je rassemble des mots

Une nuit, je me relève pour écrire.

Je m'assieds. Dans le lit, un corps chaud se tourne vers le mur en se pelotonnant dans la couette. Sa respiration est profonde et régulière. Le chat dort dans le renfoncement sous la lucarne. Le réveil indique cinq heures du matin, mon père est en route vers la bergerie pour nourrir les moutons.

La vitre s'est embuée pendant la nuit, le cadre est couvert d'une pellicule blanche. J'enfile le chandail du dormeur, je vais à la cuisine chercher un torchon pour éponger. Le givre fondu coule sur la vitre, je le suis du bout de l'index. En dehors des cris des mouettes, il règne sur la rue Skólavördustígur un silence digne des hautes terres.

J'attrape la machine à écrire sous le lit, j'ouvre la porte de la cuisine, je pose la machine sur la table et je place une feuille sur le cylindre.

C'est moi qui ai la baguette de chef d'orchestre.

J'ai le pouvoir d'allumer une étoile sur le noir de la voûte céleste.

Et celui de l'éteindre.

Le monde est mon invention.

Une heure plus tard, le poète apparaît en pantalon de pyjama dans l'encadrement de la porte, le chat sur les talons.

— Qu'est-ce que tu fais ? Tu écris ? Je me suis réveillé et tu avais disparu. Je t'ai cherchée, je me demandais si la terre ne t'avait pas engloutie, halète-t-il, comme s'il venait de faire une longue marche depuis l'autre côté de la cloison, comme s'il avait traversé la lande en quête d'une brebis égarée qui n'est pas redescendue de la montagne et qu'il découvre enfin, nichée sous un promontoire terreux, le dernier endroit où il aurait imaginé la trouver. À moins qu'il ne m'ait cherchée dans un rêve ?

Le poète scrute les feuilles posées sur la table.

— Tu écris des poèmes ?

Je lève les yeux.

— Seulement quelques phrases. Je ne voulais pas te réveiller.

— Quelques phrases ? Je ne dirais pas ça. Il y a là des pages et des pages.

Voyant le chat qui attend à côté de sa soucoupe vide par terre, je me lève pour prendre du lait dans le réfrigérateur et je lui donne à boire.

— Pourquoi ne m'as-tu pas dit que tu écrivais ?

— J'attendais le bon moment.

— Tu as déjà été publiée ?

J'hésite.

— Oui, quelques poèmes.

— Quelques poèmes ?

Il semble désarçonné et inquiet.

— Plus exactement quatre, et aussi deux nouvelles.

Il attrape le tabouret et s'assied.

— Mon poème attend depuis trois mois à la rédaction du *La Volonté du peuple* et toi, tu as publié quatre poèmes et deux nouvelles. Où sont-ils parus, si je puis me permettre ?

— Dans des revues, *Tímarit Máls og menningar* et *Birtingur*, ainsi que dans le *Cahier littéraire du Morgunbladid.*

J'hésite.

— Le *Tíminn* a également publié deux de mes poèmes, dis-je après un instant de réflexion.

— Je me démène pour faire paraître mon texte et voilà que mon amoureuse – Miss Aurore boréale comme te surnomme ton homo – a été publiée dans les plus grands journaux et les meilleures revues du pays.

— C'est un peu exagéré, dis-je. En outre j'ai utilisé un pseudonyme masculin.

Il me regarde droit dans les yeux, l'air sévère.

— Puis-je te demander lequel ?

J'hésite.

— Sigtryggur frá Saurum.

Il se lève.

— C'est toi, Sigtryggur frá Saurum ? On pensait qu'il faisait partie de notre groupe. On avait compris que c'était un nom de plume, mais sans savoir qui se cachait derrière.

— Et une nouvelle sous le pseudo de Bára Nótt.

— On croyait que Bára Nótt, cette mystérieuse Onde de Nuit, n'était autre qu'Ægir Skáldajökull, le Glacier des poètes. Il a tellement frimé quand on a discuté de cette nouvelle parue dans le *Morgunbladid.* Il feignait d'en savoir plus qu'il n'en disait, il s'est contenté de bourrer sa pipe sans un mot. Cela dit, le texte était très différent des vers qu'il nous avait lus jusque-là.

— Cette nouvelle est une œuvre de jeunesse, j'avais dix-huit ans quand je l'ai écrite. Mon style a évolué depuis.

Starkadur se rassied sur le tabouret et se prend le visage dans les mains.

— Est-ce que tu écris aussi des textes plus longs ? demande-t-il à voix basse. J'entends par là, plus longs qu'une nouvelle ?

— J'avais prévu de te dire que j'écrivais, mais je préférais attendre d'avoir terminé mon roman. J'étais sûre que tu aurais voulu le lire, et qu'ensuite je n'aurais plus eu envie de le finir.

Il me regarde, incrédule.

— Tu écris un roman ?

— Oui.

— Un livre entier ?

— Oui.

— Long comment ?

J'hésite.

— Plus de deux cents pages ? demande-t-il.

— Dans les trois cents.

Notre voisin, le mécanicien, a allumé sa radio. Il a monté le son pour ne pas manquer le bulletin météo. Je ne vais pas tarder à m'habiller pour partir au travail.

— C'est ton premier roman ?

— J'ai deux autres manuscrits. L'un d'eux est d'ailleurs chez un éditeur. J'attends une réponse.

Le poète peine à trouver ses mots.

— Mon amoureuse est poète et moi pas.

Il sort le lait du réfrigérateur et se sert un verre. Le chat miaule, son écuelle est vide.

— Et dire que tu m'as caché ça. J'ai été drôlement aveugle. J'ai l'impression d'être un élève tout juste bon à redoubler. Tu es si loin devant moi. Tu es un glacier qui scintille, je ne suis qu'un pauvre talus au pied d'une ferme. Tu es redoutable, je suis inoffensif.

Mes explications ne servent pas à grand-chose. Le poète est ébranlé.

— Ton homo est au courant que tu écris ?

— Oui.

Il vide son verre de lait.

— Et Ísey ?

— Aussi.

— Donc tout le monde à part moi sait que ma petite amie écrit.

Il regarde ses mains.

— C'est pour ça que tu es venue à Reykjavík ?

— Non, pour travailler.

Il se lève.

— Je n'avais pas compris que tu voulais être des nôtres, Hekla.

Je m'avance, je l'enlace et je lui dis :

— Nous ferions mieux de nous recoucher.

Je pense : Couchons-nous dans ce lit et étendons sur nos corps la couette de plumes de corbeau, la couette de plumes noires.

Mon manuscrit

Debout à côté du bureau, le poète tient une feuille. Le *Requiem* de Mozart tourne sur l'électrophone.

Ses lèvres bougent.

Il lit mon manuscrit.

Je pose les chemises que je suis passée prendre à la blanchisserie A. Smith en rentrant du travail, je m'approche et je lui prends la feuille des mains.

— J'ai lu ton livre.

— Il n'est pas prêt. Je t'avais demandé de ne pas y toucher.

Le cendrier en verre déborde de mégots.

J'ouvre la fenêtre.

— Tu n'es pas allé travailler ?

— Non, je ne me sentais pas bien. J'ai prévenu la bibliothèque que j'étais malade.

Il s'assied sur le lit, je prends place à côté de lui.

— Si les choses étaient ce qu'elles devraient être, je rentrerais déjeuner à la maison, Hekla.

Il me fixe.

— Est-ce que tu me ferais des pommes de terre comme les autres femmes ?

Je ne dis rien.

Il enlève le disque de l'électrophone et allume la radio. C'est l'heure des petites annonces.

À vendre, réfrigérateur d'occasion.

Il éteint le poste.

— Non, Hekla, tu refuses d'être une femme comme les autres.

Il se lève et s'accoude contre le mur. Sa tête pend mollement sur sa poitrine. Après trois semaines de météo tourmentée, c'est le redoux, la pluie tambourine sur la tôle ondulée.

— Personne ne te demande d'écrire. Pourquoi faut-il que tu fasses tout comme moi ?

Je le regarde enfiler son pantalon et son pull.

— Tu sors ? Tu n'es pas censé être malade ?

Il ne répond pas et change de sujet.

Il veut savoir si l'enquiquineur de l'hôtel Borg m'a importunée dernièrement.

— Il m'a adressé la parole pas plus tard qu'aujourd'hui.

— Qu'est-ce qu'il t'a dit ?

— Il m'a demandé si j'étais fiancée.

— Et qu'est-ce que tu lui as répondu ?

— La vérité. Que je ne l'étais pas.

— Il a quel âge ?

— Deux fois le mien. La cinquantaine. Et il est père de famille.

— Ce sont les pires. Je n'ai pas envie de te voir monter sur une scène, ni de te voir exhibée pour distraire la galerie. C'est une chose détestable de traiter les femmes comme de la marchandise. Le capitalisme dans ce qu'il a de pire. Tu imagines une élection de Miss Union soviétique ? de Miss Roumanie ? de Miss Cuba ?

Il me regarde.

— Je n'ai pas l'intention d'y participer. Je leur ai dit je ne sais combien de fois. Mais cet homme est buté.

Starkadur tourne les talons et enfile sa parka.

Il part retrouver les poètes.

Une seule phrase a plus de poids que mon corps

Il est plus de trois heures du matin quand il rentre à la maison, avec une bouteille d'eau-de-vie dans un sac en papier.

Starkadur de Hveragerdi est ivre.

Il agite le bras, trébuche contre une chaise, la traîne, non sans mal, jusqu'au bureau, s'y installe et ouvre son calepin. Il lui faut un temps infini pour ôter le capuchon de son stylo-plume.

— Je ne suis qu'une coquille vide, marmonne-t-il.

Je sors du lit pour le rejoindre.

Après avoir écrit *Je ne suis qu'une coquille vide* sur la feuille, il remet à grand-peine le capuchon sur son stylo et boit une gorgée au goulot.

— Tu l'aimes ?

— Qui ça ?

— Ton homo ? Est-ce qu'il te fait des avances ? Il veut aussi coucher avec moi ?

— Je t'interdis de parler de lui comme ça. De toute manière, il est parti.

Il essaie d'enlever son pantalon, mais il se prend les pieds dedans et chancelle, les bretelles pendantes.

— Hekla, tu ne veux pas me demander quelle est

mon expression préférée ? Si ça ne serait pas *humide de rosée* ? Tu ne me poses aucune question... On ne sait jamais à quoi tu penses, tu es toujours en train d'écrire, y compris quand tu n'écris pas, je le vois à ton regard, je connais ce regard lointain, tu es là et pourtant, tu es ailleurs, même dans nos moments les plus intimes...

— Ce n'est pas vrai, Starkadur.

— Tu ne laisses rien affleurer à la surface. Quand on vit avec un volcan, on sait que les profondeurs bouillonnent de lave incandescente. Tu sais, Hekla, tu projettes d'énormes blocs de pierre dans toutes les directions... ils détruisent tout sur leur passage... tu es un rocher imprenable, un buisson de ronces... je ne compte pas pour toi...

Je lui prends la bouteille.

Il s'allonge sur le lit.

— Pour toi, l'écriture est plus importante que moi, une seule phrase a plus de poids que mon corps, bredouille-t-il, noyé dans les vapeurs d'alcool.

Je n'arrive pas à me retenir d'aller jusqu'à la table pour noter dans mon carnet : *Une seule phrase a plus de poids que mon corps.*

Il tend le bras vers la bouteille.

— Comment tu fais ?

— Comment je fais quoi ?

— Pour avoir des idées.

Il n'attend pas ma réponse et poursuit sur sa lancée :

— On t'a déjà dit que tu es belle ?

— Oui. Parfois. Toi-même, tu me l'as dit il y a quelques jours.

— Tu savais que les goélands se taisent quand ils te voient ?

— Tu veux que je te fasse cuire un œuf ?

Le poète est rentré à la maison plus tôt dans la journée avec trois œufs dans un sac en papier.

Il me suit dans la cuisine, s'affale sur la table bras tendus devant lui, puis se prend la tête entre les mains.

— Je... t'ai épiée... à ton insu... pendant ton sommeil... pour essayer de comprendre, bafouille-t-il. Là au moins j'ai le sentiment... que nous sommes... égaux... Quand tu dors. Parce que tu n'écris pas... et tu n'es pas... meilleur écrivain... que moi... Et...

Écoute, Hekla

Lorsque je rentre à la maison, le poète est réveillé.

Assis sur le lit, le chat sur les genoux, il se lève d'un bond pour m'accueillir. Je remarque immédiatement qu'il a non seulement rangé la chambre, vidé le cendrier et refait le lit, mais qu'il a aussi passé la serpillière. Il s'est rasé et a mis une cravate.

Un bouquet de roses jaunes est posé sur la table. Il me le tend.

— Pardonne-moi. Je me suis mal comporté avec mon amoureuse.

Il me serre dans ses bras.

— J'ai eu tellement peur que tu ne reviennes pas, Hekla. Tellement peur que tu me quittes.

— Je me suis arrêtée en chemin pour faire des

courses, dis-je en sortant un pain blanc et une bouteille de lait.

Le chat saute par terre et s'ébroue.

Comme nous n'avons pas de vase, je cherche du regard un contenant de substitution. La bouteille d'eau-de-vie que le poète a rapportée la nuit dernière est vide, mais il y a sept roses, et seules trois tiges entrent dans le goulot. Je n'ose même pas espérer que les ermites qui vivent sous les combles aient un vase. Je n'ai donc pas d'autre choix que d'aller frapper à la porte de la voisine du dessous, notre logeuse. Je tiens le bouquet de roses contre ma poitrine.

Elle m'adresse un regard méfiant : une femme ne demande pas à une autre femme de lui prêter un vase en cristal.

— C'est pour combien de temps ? demande la logeuse.

Je pourrais lui répondre par une question : Combien de temps vivent les roses ?

— Cinq jours, dis-je.

Je m'attends à ce qu'elle me demande si le poète ne risque pas de casser le vase.

À mon retour, il a mis *Love Me Tender* sur l'électrophone. Il me fait une place au bord du lit, je m'installe à ses côtés et il me prend la main.

— Ils m'ont demandé de tes nouvelles.

— Qui ça ?

— Les poètes. Ils veulent savoir si tu repasseras. Je leur ai dit que toi aussi tu écrivais. Ça les a étonnés. Stefnir aimerait te rencontrer.

Il me regarde.

— Comment te sens-tu ? dis-je.

Il dit qu'il a mal à la tête et que le moindre bruit est amplifié en vacarme dans son crâne, même le ronronnement du chat.

Les œuvres poétiques de Steingrímur Thorsteinsson sont ouvertes sur le lit.

Il a déjà choisi les strophes qu'il veut me lire :

— Écoute, Hekla, dit-il.

De tous les bleus, ma bonne amie,
Le plus beau dans tes yeux rit ;
Si bleu n'est jamais l'azur des cieux
Aucun myosotis n'est aussi bleu.

Naissance d'une île

... et parfois, là où n'était naguère qu'abîme,
des îles surgissent de l'océan.

JÓNAS HALLGRÍMSSON, revue *Fjölnir*, 1835

On me demande au téléphone quand je suis au travail.

— C'est ton père.

J'ai mon tablier autour du cou et le combiné à la main.

— Hekla chérie, un volcan vient d'entrer en éruption. Au milieu de l'océan, à un endroit où il n'y a pas de terre. Au sud-ouest des îles Vestmann.

Sa sœur, Lolla, l'a appelé pour lui décrire la gigantesque colonne de vapeur qui s'élève vers le ciel.

— Avant même qu'ils en aient parlé aux informations.

Le phénomène a surpris tout le monde. La veille, le mari de Lolla était parti poser ses filets dans le périmètre de l'éruption sous-marine et il n'avait rien remarqué d'anormal. Certes, il n'avait aperçu aucune baleine, mais les oiseaux de mer plongeaient en quête de nourriture comme d'habitude. Son amie qui vit à Vík í Mýrdal lui avait téléphoné la veille au soir pour lui dire qu'elle avait senti une odeur de soufre en mettant les pommes de terre à cuire. Elles avaient conclu à une éruption imminente sous le glacier du Katla.

— Lolla dit que des avions survolent la zone, des petits coucous transportant des géologues de Reykjavík et des appareils de la base militaire de Keflavík. Mais les autorités déconseillent aux bateaux d'approcher. Cela signifie que je ne pourrai pas me rendre sur les lieux à bord de la *Fannlaug VE* avec mon beau-frère comme j'aimerais tant pouvoir le faire.

Pendant le bref silence à l'autre bout de la ligne, je remarque que le chef de rang m'observe. On a besoin de moi en salle.

Comme il fallait s'y attendre, mon père est incapable de rester sagement dans les Dalir. Il est déjà en route pour Reykjavík. Il a demandé au chauffeur de taxi, le mari de la sœur de ma mère, de l'emmener ensuite à Kambabrún pour qu'il puisse voir le panache de fumée de ses propres yeux.

— L'éruption n'est pas visible depuis le sommet de

la colline de Skólavörduholt contrairement à celle du Katla en 1918, dit-il.

— Bon, mon cher papa…

Il me dit qu'à part ça, il faut qu'il aille chez l'opticien. Ses vieilles lunettes ne tiennent plus que par un bout de ruban adhésif, et surtout par habitude. Il se demande s'il faut qu'il y aille avant ou après son escapade en voiture jusqu'à Kambabrún.

— Tu ne crois pas que tu aurais plus de chances de voir le panache volcanique avec de nouvelles lunettes ? dis-je.

Nouveau silence au bout du fil. Le chef de rang est là, posté devant moi.

— Mon cher papa, je dois te laisser.

— Dans ce cas, je te souhaite un joyeux anniversaire, Hekla chérie, conclut-il. Et comme je l'ai toujours dit : Tu es née quatre ans trop tôt.

Une sphère de cendres

Le poète a téléphoné à sa mère à Hveragerdi pour lui demander si elle voyait l'éruption depuis sa cuisine.

En faisant la vaisselle après le déjeuner, elle a entendu un vacarme assourdissant puis le ciel s'est zébré d'éclairs. Elle décrit un énorme nuage de vapeur qui s'élève de la mer : une haute colonne de fumée blanche coiffée d'une forme sphérique qui fait penser à un champignon atomique.

Voilà qui offre au poète l'occasion d'évoquer la crise

de Cuba et les menaces qu'elle fait peser sur la paix mondiale.

— L'avenir de l'humanité est entre les mains de trois cinglés qui nous préparent l'apocalypse, dit-il en tapotant sa pipe dans le cendrier.

La Volonté du peuple est sur la table, avec Khrouchtchev en une.

Il hésite.

— J'en ai profité pour annoncer à maman que j'avais rencontré une jeune fille.

Il m'interroge du regard.

— Mon amoureuse aurait-elle envie d'un tour en autocar jusqu'à Hveragerdi ?

Pour voir une éruption et rencontrer sa mère.

Rimes finales

Je suis autorisée à quitter mon poste une heure plus tôt pour accueillir mon père à la gare routière du BSÍ. Il aimerait bien voir mon lieu de travail, saluer mes collègues et prendre un café avant que son beau-frère passe le chercher dans sa Chevrolet. C'est Sirrí qui s'occupe de nous. Il ôte sa casquette et se passe un coup de peigne avant de la saluer d'une poignée de main. Elle lui sourit. Il commande deux parts de gâteau à la crème pour accompagner nos cafés et met deux sucres dans sa tasse.

— Il s'agit d'une éruption explosive située à cent trente mètres de profondeur. Le nuage qu'elle génère monte à six kilomètres, dit-il en remuant son café.

Mon père veut que je lui parle du garçon que je fréquente.

— Il est poète ?

— Oui.

— Il fait des vers libres ?

— C'est un adepte de l'allitération, mais pas de la rime finale, dis-je après un instant de réflexion. Il travaille à la bibliothèque de la rue Thingholtsstræti.

J'omets de préciser qu'il songe à quitter son poste pour devenir veilleur de nuit.

— Et mon Hekla, est-ce qu'elle écrit ?

— Pas autant que je le voudrais.

— Tu employais toujours de drôles de mots quand tu étais petite. Et tu lisais les livres en commençant par la fin. Tu connaissais tous les vieux mots islandais pour parler du temps qu'il fait.

Tu disais : La pluie se mêle au vent, ce n'est qu'un grain.

Tu parlais du crachin.

D'ondées.

D'avrillées et de giboulées.

De noroît. Ton frère, lui, n'en avait que pour la lutte, il rêvait de devenir paysan.

Il me tapote la joue.

— L'écriture. Tu tiens ça de moi.

Il avale une gorgée de café.

— Tu veux parler de tes notes quotidiennes sur la météo ?

— Pas uniquement. Je veux parler, ma petite Hekla,

des récits que je recueille depuis vingt-cinq ans un peu partout dans le pays auprès de tous ceux qui ont des prémonitions d'éruptions volcaniques, en incluant bien sûr les rêves et les comportements inhabituels du bétail.

Il finit sa part de gâteau et racle la crème dans l'assiette.

— C'est une dimension fort peu explorée par les géologues. Je pense intituler mon ouvrage *Mémoires de volcans* et le publier à compte d'auteur.

Il me demande d'appeler la serveuse pour qu'elle remplisse nos tasses.

J'aperçois le monsieur de l'Académie de la Beauté qui prend son café de l'après-midi et nous observe du coin de l'œil.

— Je ne crois pas, ma petite Hekla, que ce soient les puissances destructrices qui me fascinent, mais au contraire la force créatrice.

Je lui dis qu'on m'a proposé de m'inscrire au concours de Miss Islande, mais que j'ai refusé. Et j'ajoute :

— Plusieurs fois, mais ils ne renoncent pas facilement.

Il finit sa tasse et racle avec sa petite cuiller le sucre resté au fond.

— Tu vas, superbe, la tête haute, Hekla chérie, mais pas question que tu te laisses mesurer et reluquer comme un bélier dans un concours agricole. Les héroïnes de la *Saga des Gens du Val-au-Saumon,* Gudrún Ósvífursdóttir et Audur la Très-Sage, ne se laissaient pas malmener comme ça par les hommes.

Il ouvre son sac et en sort un paquet qu'il pose sur la table.

— C'est ton cadeau d'anniversaire, ma petite Hekla. De ma part et de celle de ton frère. C'est Örn qui l'a emballé.

Il s'agit d'un livre, *Images et Souvenirs* d'Ásgrímur Jónsson. Je l'ouvre à la première page.

— Ce sont les mémoires de l'artiste qui a peint le tableau le plus monumental représentant l'Hekla. Ton grand-père était cantonnier dans la province des Hreppar à l'époque où Ásgrímur y avait installé son chevalet pour peindre la mère de toutes les montagnes ainsi que plusieurs endroits de la région d'Árnessýsla, en observant les lieux par l'ouverture de sa tente. Il avait monté une grande tente-cantine en toile brune qui sentait le moisi – sans doute parce qu'elle avait été repliée encore humide. Ton grand-père était allé le saluer, il m'a raconté que le coin d'herbe sur lequel l'artiste s'était installé avait été transformé en gadoue par la pluie et que c'était un véritable bourbier. Ça ne l'a pas empêché de percevoir la présence d'une chose plus grande, plus vaste. Vois-tu, Gottskálk, je crois que cette chose, c'était la beauté, m'a-t-il expliqué.

Il attrape le livre sur la table pour me lire les premières lignes qui parlent de l'éruption du Krakatindur, un des cratères de l'Hekla, en 1878. *Je suis debout dans le champ, tout près de la ferme, gamin de deux ans, absolument seul. Soudain mon regard se porte vers le sud-est et là, tout à coup, des éclairs jaillissent dans l'air, gigantesques flèches rouges qui zèbrent la voûte céleste enténébrée…*

Il referme le livre, me regarde, me demande combien de temps je compte encore fouler le bitume de la capitale et si je n'aurais pas l'intention de filer à toute vapeur vers l'étranger pour rejoindre mon ami.

— Il me semble, ma petite Hekla, que tu tiens de ta mère ce goût de l'évasion. Elle avait la bougeotte dans l'âme, où qu'elle soit, elle avait toujours envie d'être ailleurs. Il lui arrivait souvent de se ruer hors de la maison pour aller marcher, pieds nus, dans la rosée du soir.

Il se tait quelques instants.

— Un jour, elle a failli me quitter. Je t'avais emmenée dans le sud pour voir l'éruption du volcan dont tu portes le nom. Elle pensait que je t'avais emmenée trop près du torrent de lave en fusion.

Les mots de mon père à l'hôtel Borg

panache de feu
océan de feu
merveilles de feu
étincelle de feu
éclairs de feu
œil de feu
gerbes de feu
cylindre de feu
pluie de feu

Attentat

Un vent de noroît insistant balaie la rue Laufásvegur. La bannière étoilée de l'ambassade américaine est en berne. Un petit groupe de gens grelotte dans un froid mordant devant la bâtisse en ciment à deux étages. Pour une fois, le poète n'est pas au Mokka, mais à la maison, l'oreille collée au poste de radio qu'il écoute d'un air grave.

Le concert symphonique a été interrompu pour une édition spéciale consacrée à l'attentat qui vient d'avoir lieu à l'étranger.

— Le président Kennedy a été assassiné à Dallas ce matin, me dit-il.

Il se lève, se rassied aussitôt.

— Une île est née la semaine dernière. Le jour de ton anniversaire.

Cette semaine, le monde s'effondre.

Il fait les cent pas dans la chambre, dit que les informations sont encore floues, mais qu'on pense que les Russes ont commandité l'assassinat.

— On les accuse de tous les maux. Ça ne se limite pas aux rampes de lancement à Cuba, ajoute-t-il.

Il enfile sa parka pour aller à la réunion du Parti. Odin se lève et disparaît derrière la porte en même temps que le poète. La chatte ne sait plus où se mettre depuis quelques jours. Quand je la caresse, je sens les chatons dans son ventre.

Je n'écrirai pas ce soir parce que je suis à court de ruban encreur. Je m'allonge et je lis *Plumes noires*.

À son retour, le poète ôte sa parka, déboutonne sa chemise et dit :

— C'est jour de deuil national en Russie. La radio de Moscou diffuse des marches funèbres.

Il s'installe au bureau, griffonne quelques mots sur une feuille et la plie.

Va-t-il ensuite ouvrir la lucarne et envoyer dans Skólavördustígur un appel à la révolution rouge ? Tandis que le vent prend son élan et se rue sur la vitre, que les oiseaux se taisent et que le monde périt ?

Il enlève son pantalon.

— Je viens d'avoir une idée, annonce-t-il en se glissant sous la couette.

Le lendemain matin, il a déjà déchiré la feuille.

Douze pages

Le poète a quitté la bibliothèque et travaille maintenant comme veilleur de nuit à l'hôtel Skjaldbreid.

Le trajet jusqu'à la rue Kirkjustræti est certes plus long, mais son nouveau lieu de travail est moins loin du bar du Naustid.

Nous nous voyons entre deux portes, comme des collègues, il rentre à la maison et se glisse sous la couette à l'heure où je me lève. Cela veut dire également que je peux écrire jusqu'à une heure tardive sans le déranger.

Il a cessé de me faire la lecture, il ne dit plus : Tiens, Hekla, écoute ça. Désormais, il veut savoir si j'ai écrit dans la journée. Et combien de temps.

— Tu as écrit ?

— Oui.

— Combien de pages ?

Je feuillette mon manuscrit.

— Douze.

— Tant de choses ont changé depuis notre rencontre. Quand tu ne travailles pas, tu écris. Quand tu n'écris pas, tu lis. Si tu venais à manquer d'encre, tu la puiserais dans tes veines. J'ai parfois l'impression que tu t'es installée chez moi uniquement parce que tu avais besoin d'un toit.

Je serre le poète dans mes bras.

— Dis-moi, qu'est-ce que tu vois en moi, Hekla ?

Je réfléchis.

Il insiste.

— Tu es un homme. Avec un corps, dis-je.

Et je pense : Il pourrait aussi me tendre une plume
comme une fleur
qu'il aurait arrachée à un oiseau noir,
la tremper dans du sang et m'ordonner :
Écris.

Il me dévisage, interloqué.

— Au moins, tu es honnête.

Il est allongé sur le lit, entièrement habillé.

— Un poète doit vivre dans l'ombre et faire l'expérience des ténèbres. Avec toi, on manque de ténèbres, Hekla. Tu es la lumière.

Noir

Le jour n'a plus la force de se lever, la clarté apparaît brièvement derrière la lucarne maculée de sel vers midi, quand le soleil rouge glisse sur l'étang gelé de Tjörnin, puis c'est à nouveau la nuit.

— Ils lui ont trouvé un nom, m'annonce le poète.

— À qui ?

— À cette nouvelle île. Ils l'ont baptisée Surtsey, l'île noire.

Il cure sa pipe dans le cendrier.

— Pour l'instant, il paraît qu'elle ressemble surtout à un amas de scories, mais que la lave coule désormais en surface et qu'une île véritable est en train de se former.

Cela dit, le poète est plutôt déprimé car on a découvert que des journalistes français ont posé le pied en toute illégalité sur ce nouveau bout de terre. Et qu'ils y ont planté un drapeau.

Il est furieux.

— Ils en parlent dans le journal, poursuit-il en prenant *La Volonté du peuple* pour me montrer l'article en une : *Des paparazzi envoyés par le magazine à scandale Paris Match ont posé le pied sur l'île de Surtsey sans autorisation.*

— Apparemment, ils y sont restés vingt minutes. Ils ont dû s'enfuir à cause des explosions et du torrent de lave qui les menaçaient.

Il replie le journal et le repose.

— Leur drapeau tricolore n'a pas mis longtemps à

brûler. Le feu des entrailles de la Terre s'est chargé d'embraser la bannière de la fraternité.

Il se lève.

— Impérialistes un jour, impérialistes toujours.

Telle est la conclusion de mon communiste.

Puis il me demande si je suis passée à la boucherie Tómas Jónsson et si j'ai acheté de quoi manger.

Les fils et les filles d'Odin

J'entends du bruit dans la cuisine. En ouvrant la porte, je découvre le mécanicien de marine, notre voisin, à quatre pattes devant la table où j'ai posé ma machine à écrire. Il est en pyjama rayé bleu. J'aperçois la fourrure noire d'Odin derrière lui. Quand il se relève, je compte huit chatons couchés sur les tétons roses et gonflés, quatre noirs comme leur mère, trois tachetés et un blanc. Notre voisin me confie qu'il s'est levé pendant la nuit pour se préparer de la bouillie d'avoine aux pruneaux. À ce moment-là, seuls deux chatons étaient nés. Il n'a pas voulu quitter la chatte avant qu'elle ait fini de mettre bas. Ça a bien pris quatre heures et il a dû donner quelques pichenettes sur le nez d'un des petits qui ne respirait pas. Le blanc, précise-t-il.

Je me baisse, la chatte épuisée ferme les yeux. Je caresse doucement sa fourrure.

Notre voisin m'explique qu'il avait une petite bouteille de crème qu'il comptait ajouter à sa bouillie, mais qu'il a préféré la verser dans son écuelle.

— Elle n'a même plus la force de manger, commente-t-il en secouant la tête.

Le poète nous rejoint. À peine rentré de sa garde de nuit, il s'agenouille à côté de moi et observe les boules de poils sous la table. Il y a quelques jours, il a rapporté un carton qu'il a installé dans un coin de la chambre. La chatte s'est contentée de le renifler sans s'y intéresser davantage.

— Elle n'a pas voulu de ma couche, elle a préféré se faire une tanière sous la table où tu écris, remarque-t-il en s'étirant.

Je soussninier

En allant chez Ísey, je m'arrête rue Laugavegur à la quincaillerie Liverpool et j'achète un tracteur vert avec des roues en caoutchouc pour Thorgerdur.

Mon amie m'accueille, la petite sur la hanche, manifestement bouleversée. Ce qu'elle redoutait par-dessus tout vient d'arriver : sa belle-mère lui a envoyé des perdrix des neiges.

— Avec la peau et tout le reste. Comme pour vérifier que je m'occupe correctement de son Lýdur.

La voilà désemparée face aux masses congelées et couvertes de plumes blanches posées sur le plan de travail de l'évier.

— Le problème, c'est que nous ne mangions jamais de perdrix pour Noël. Je ne sais pas les cuisiner.

Je regarde le gibier.

Chez nous, dans le Breidafjördur, nous avons l'habitude de consommer les oiseaux de mer.

— Tu n'as qu'à imaginer que ce sont des macareux et les préparer de la même manière, dis-je.

— C'est justement le problème, Hekla, Lýdur dit qu'il faut les plumer sans ôter la peau.

Elle installe sa fille dans la chaise haute au bout de la table et s'effondre sur le tabouret. La petite frappe sa cuiller sur la table.

Je remarque qu'il n'y a plus de rideaux aux fenêtres. Ísey les a enlevés pour les faire tremper, mais maintenant, elle n'a plus envie de les sortir de l'eau, de les faire sécher ni de les repasser.

— J'ai dit à Lýdur que je voulais un appareil photo pour Noël. Et puis je n'arrête pas de penser à mon cahier dans le seau, ajoute-t-elle à voix basse.

Elle met un bavoir à la petite et, pendant qu'elle remue le skyr pour le rendre plus onctueux, elle m'annonce que Lýdur va quitter son poste aux Ponts et chaussées dans l'Est et tenter de se faire embaucher sur le chantier d'un immeuble en construction dans le quartier d'Álfheimar.

— Il a fallu qu'il remplisse un dossier de candidature, soupire-t-elle. C'est nouveau. Le syndicat exige que les contrats soient rédigés par écrit dorénavant. Le problème, c'est que Lýdur fait tellement de fautes que j'ai dû tout recopier au propre. Selon lui, il a toujours eu des problèmes avec les accents. Et crois-moi, ça ne se limite pas à ça. Il est très adroit de ses mains, mais son orthographe est désastreuse. Il mélange les lettres, je ne comprends pas pourquoi. Par exemple, il avait écrit : *Je soussninier.*

Elle se tait quelques instants.

— Tu ne voudrais pas faire dire à un homme dans ton livre : Être père et mari, voilà ce qui m'a façonné, c'est ce qui a donné un sens et un but à ma vie ? S'il te plaît, Hekla, fais ça pour moi.

Je souris en me levant.

Et je lui annonce que ma chatte est plus légère : les descendants d'Odin sont au nombre de huit.

— Notre voisin, le mécanicien, prendra un des petits, ma collègue Sirrí un autre et je dois trouver un foyer aux six qui restent.

J'hésite.

— Il y en a un qui est différent des autres. Il est tout blanc. Je me disais que tu pourrais peut-être l'adopter ?

Je boutonne mon manteau. Elle me raccompagne à la porte.

— Starkadur va demander à ses amis poètes s'ils en veulent, mais ça risque d'être compliqué : Stefnir Skáldalækur, le Ruisseau des poètes, dit que Laxness n'a pas de chat.

Le sein maternel

La nuit la plus longue de l'année est derrière nous, de même que le jour le plus court.

Au-dessus de nos têtes, dans le filet de l'autocar, il

y a la valise, ainsi qu'une boîte de chocolats décorée de chatons.

Le poète m'avait prévenue :

— Maman aime les chocolats.

Un blizzard aveuglant souffle sur Sandskeid, nous traversons ensuite un épais nuage de grésil sur le champ de lave anthracite et tacheté de blanc de Svínahraun. Pendant un instant, le monde n'est plus que nuit. Sur la route vertigineuse qui monte au Chalet des skieurs, le temps s'éclaircit brièvement, je colle mon visage à la vitre, je lève les yeux et j'aperçois un fragment de ciel bleu.

— Il y a de l'or dans tes cheveux, dit le poète.

Nous entrons aussitôt dans un banc de brouillard.

Il ouvre le Prince Polo qu'il a acheté à la boutique du BSÍ, casse la gaufrette chocolatée en deux et m'en tend une moitié.

— Je n'ai pas encore annoncé à ma mère que nous habitons ensemble, avoue-t-il. Je lui ai seulement dit que tu étais mon amoureuse.

Vers midi, le soleil rosé de décembre apparaît dans la grande descente tout en lacets des Kambar. Les deux géologues assis devant nous sortent leurs jumelles et les pointent vers la mer. Le panache de l'éruption ressemble à une tête de chou-fleur gris à la base, et presque blanc au sommet. Il se déploie en volutes, parfaitement visible, et monte bien haut dans le ciel. Les passagers s'agitent, ils s'agglutinent aux vitres pour mieux l'admirer.

— Maman nous installera dans des chambres séparées puisque nous ne sommes pas officiellement fiancés, reprend le poète.

Au virage suivant, l'aube rosée s'évanouit, nous traversons une averse de neige mouillée. On aperçoit çà et là des fumerolles qui montent de la terre entre les congères.

Une odeur de raie faisandée flotte dans l'air du village quand nous descendons de l'autocar. La mère du poète nous accueille en tablier de dralon à fleurs.

Il fait les présentations.

— Hekla, ma petite amie. Ingigerdur, ma mère.

Je lui tends la main.

Nous arrivons à point nommé, elle vient juste de mettre la raie faisandée et les rutabagas dans le plat.

— Mais elle préfère qu'on l'appelle Lóló, précise-t-il dès qu'elle est repartie à ses casseroles.

Je scrute le salon plongé dans la pénombre. Sur le sol entièrement moquetté, je remarque plusieurs tapis en peau de mouton : un premier au pied d'un opulent canapé rouge à franges, un deuxième au pied d'un fauteuil capitonné, un troisième devant le buffet et un quatrième devant une vitrine fermée où est exposée la vaisselle du dimanche. Sur le buffet trône la grande photo d'un homme en képi dans un cadre doré. C'est le père du poète, second du commandant sur le paquebot *Godafoss*.

— Eh bien, cette jeune fille a… dit la mère du poète en regardant son fils unique.

— … un appétit d'oiseau, complète-t-il.

Debout à une extrémité de la table, toujours en

tablier, elle nous regarde manger.

— Maman, tu ne veux pas t'asseoir ? demande le poète.

Elle finit par céder, mais ne touche pratiquement pas à son assiette.

— De quelle… commence-t-elle.

La suite de la question arrive quelques instants plus tard.

… famille…

… est la jeune fille ?

Je me charge de lui répondre.

— Et de quelle région…

… vient la jeune fille.

— De la province des Dalir, dis-je.

Le poète me regarde, reconnaissant.

— Où travaille…

— … la jeune fille ?

Le poète m'a prévenue pendant le trajet : Ne lui parle surtout pas d'écriture.

— Je suis serveuse à l'hôtel Borg.

— Vous êtes déjà… ?

— Non, maman, nous ne sommes pas fiancés.

— Et vous comptez… ?

Starkadur me sourit.

— Oui, il n'est pas impossible que nous finissions par nous passer la bague au doigt.

— Vous voulez emporter… ?

Elle lève sa tasse à liseré doré et motif de fleurs rouges et bleues.

— Non, nous n'emporterons pas le service à café

cette fois-ci.

Il me sourit.

— Mais peut-être à notre prochaine visite.

Toutes les tentatives d'Ingigerdur pour entretenir la conversation échouent en milieu de phrase.

Il n'a pas pris…

J'ai vu…

Mon Starkadur était…

Son fils complète ses interventions.

Elle nous offre un café après la raie faisandée et va chercher une boîte de pêches au sirop.

— La jeune fille veut-elle… ?

— Tu veux une pêche ? me demande-t-il.

— Oui, merci.

Après le repas, nous nous installons dans le canapé, le poète allume sa pipe et ouvre un livre tandis que sa mère m'apporte des albums photo qu'elle me met dans les mains sans un mot.

Je tourne précautionneusement les feuilles de papier de soie et je regarde les clichés à bords dentelés collés sur les pages.

Debout derrière moi, elle me montre un petit garçon chaussé de bottes, la tête couverte d'un bonnet, assis sur une luge.

— Starkadur…

— C'est Pjetur qui avait fabriqué…

Quand j'ai fini de feuilleter les trois albums, elle m'apporte une boîte à chaussures.

— Celles-là ne sont pas triées… précise-t-elle.

— Divers défunts de notre famille dans l'Est,

commente le poète, assis dans le fauteuil où il lit la *Saga des Frères jurés*.

Toutes ces images se ressemblent, des gens endimanchés qui affichent un air grave et prennent la pose pour la seule photo qu'on fera de leur personne durant leur existence. Toujours debout derrière le canapé, la mère du poète me montre un visage par-ci, un visage par-là. Pjetur… Kjartan Thorgrímsson… Gudrídur, la grand-tante de Starkadur. Bragi…

— Le frère de mon père dans l'Est, glisse le poète en guise d'explication.

La seule fois où la mère arrive presque au bout de sa phrase, c'est pour dire :

— Elle est plus jeune que je pensais…

Elle m'installe dans la chambre d'amis, son fils dormira dans son ancienne chambre. À côté de mon lit, une planche à repasser sur laquelle est posée la nappe de Noël. Pendant la nuit, j'ouvre doucement la porte de la chambre du poète. Il ne dort pas, il soulève aussitôt la couette de son lit simple pour me faire une place. Au pied du lit, j'aperçois un tapis en peau de mouton.

Starkadur, deuxième du nom

Le lendemain matin, quand nous arrivons dans la cuisine, la mère du poète est en train de faire cuire du mouton fumé, le *hangikjöt* de Noël. Elle a des bigoudis sur la tête et nous offre du pain de seigle et de fines tranches de saucisse roulée aux herbes. La brique de lait trône sur la table. Elle a également disposé des petits gâteaux sur une assiette : des biscuits au beurre, des demi-lunes, des anneaux à la vanille, des anneaux aux amandes pilées glacés au sucre et des sablés aux raisins secs. La sœur aînée du poète, mariée à un marin de la province de Skagaströnd, habite là-bas, tout au Nord, mais on attend pour le réveillon la visite de sa sœur cadette et de son petit ami, marin à Thorlákshöfn.

— Si la neige ne bloque pas la route, prévient le poète en écoutant les informations à la radio.

Dès qu'il a fini d'installer la guirlande de Noël pour sa mère, il me montre les lieux de son enfance. Nous montons au cimetière, il marche droit vers la tombe où repose Pjetur Pjetursson. *1905-1944*, précise la stèle.

Il garde le silence quelques instants puis déclare :

— Papa buvait quand il était à terre, et il avait la main leste.

À côté de la tombe, il y en a une autre, surmontée d'une pierre minuscule qui porte l'inscription : Starkadur Pjetursson. Né et décédé la même année, en 1939.

— Mon frère, dit le poète. Il est né un an avant moi et mort au berceau. On m'a donné son prénom, je dois mon existence à son décès. Sinon je ne serais jamais né, comme dit ma mère. Lui, c'est Starkadur premier, moi, je suis Starkadur, deuxième du nom.

Il remonte le col de sa veste.

— J'ai parfois l'impression que c'est moi qui repose sous la terre et lui qui est vivant.

—Vous êtes allés… ?

— Oui, maman, nous sommes allés au cimetière.

— Tu lui as montré… ?

— Oui, j'ai montré à Hekla les deux tombes.

— Tu as vu… ?

— Oui, le panache de l'éruption est visible de là-bas.

Puisqu'on attend des invités, il faut agrandir la table de la salle à manger. Starkadur installe les rallonges puis sa mère étend la nappe brodée longue de trois mètres qu'elle a repassée pendant que nous étions au cimetière.

— Dis à la jeune fille…

— C'est maman qui a brodé cette nappe, complète Starkadur.

L'alimentation en électricité est vacillante et à cinq heures, en pleine préparation du réveillon, le courant est coupé dans le village pour cause de surconsommation. Pendant ce temps-là, le baron d'agneau attend dans le four.

— C'est…

— Oui, c'est comme ça tous les ans, supplée Starkadur.

Heureusement, la radio fonctionne sur piles, ce qui nous permet d'entendre les nouvelles. Un communiste n'écoutant pas la messe, le poète suggère que nous allions dans sa chambre, il tient à me montrer le recueil d'un poète du village qui a publié onze livres. Il nous enferme à double tour.

— Ma mère t'apprécie, assure-t-il, satisfait.

Quelques instants plus tard, on frappe à la porte.

— Puis-je demander à la jeune fille de…

— Maman voudrait que tu plies les serviettes.

Elle m'indique la place où seront assis les garçons, son fils et son gendre, il faut rouler leur serviette de Noël, celles des femmes doivent être pliées en éventail. L'électricité est revenue, la sœur du poète et son fiancé arrivent. Avant le baron d'agneau, nous dégustons du riz au lait aux raisins secs et à la cannelle particulièrement compact. C'est Starkadur qui le sert. Sa mère reste parfaitement impassible quand elle sort de sa bouche l'amande du riz de Noël. Je n'ai eu droit qu'au pliage des serviettes. Elle ne m'autorise ni à dresser la table, ni à débarrasser, ni à apporter le plat principal, le baron d'agneau rôti accompagné de confiture de rhubarbe, de chou rouge fumant cuit à la vapeur et de pommes de terre caramélisées. J'ai encore moins le droit de faire la vaisselle.

— Puisque tu es maintenant…

Elle prononce deux fois ces mots pendant le repas.

— Pour ainsi dire ma bru, traduit le poète.

Je la complimente sur sa crème glacée à la fraise et la sœur du poète, qui en est à huit mois de grossesse, me tend une coupe surmontée d'un gâteau sec. Son fiancé est plutôt taciturne, il nous demande toutefois la marque de la voiture avec laquelle nous sommes venus. Pour sa part, il possède une Ford Taunus break, année 62, équipée d'un autoradio, un véhicule d'occasion, à peine dix-sept mille kilomètres au compteur. Il l'a eue pour une bouchée de pain, dit-il. Il clôt la conversation en allumant une cigarette quand le poète lui répond que nous avons pris l'autocar. Les hommes ne tardent pas à disparaître dans leur nuage de fumée, la mère et sa fille débarrassent la table, je parcours les livres de la bibliothèque. Je tombe sur un petit recueil de poèmes de Karítas Thorsteinsdóttir dont la préface précise qu'elle est partie toute jeune sur le continent américain où elle s'est installée. Je l'ouvre.

Je ne saurais écrire sur le Canada,
Je ne connais pas le Canada,
J'arrive juste au Canada,
Je me sens comme ça au Canada.

— Joyeux Noël, Hekla chérie, me dit le poète en me tendant un paquet.

Je déballe mon cadeau : *J'apprends à cuisiner* de Helga Sigurdardóttir, directrice de l'École ménagère d'Islande. Puis je prends le paquet que m'a offert mon père. Un recueil de nouvelles d'Ásta Sigurdardóttir.

Sa famille est originaire du cap de Snæfellsnes, a écrit papa sur la carte jointe.

Neige mouillée

Lorsque nous nous endormons, la température extérieure avoisine zéro degré. Pendant la nuit, des averses de pluie arrosent les congères, des bourrasques s'abattent par intermittence, et le matin, il tombe de la neige mouillée. Vers midi, le thermomètre chute brutalement, le verglas envahit les rues et dans l'après-midi, la tempête fait rage. À l'heure du dîner, le vent se calme et il tombe cinquante centimètres de neige. Nous avions prévu de repartir pour Reykjavík le lendemain du réveillon, mais il fait un froid glacial, moins dix degrés, le vent se déchaîne et la lande est impraticable. Tous les autocars sont annulés jusqu'à la fin de l'année.

Le poète espère cependant trouver quelqu'un pour nous emmener. Il s'installe à côté du téléphone, passe des coups de fil.

— Joyeux Noël, c'est Starkadur, annonce-t-il à chaque fois.

Il finit par se lever en secouant la tête.

— Personne ne veut se risquer à affronter la lande tant qu'elle n'a pas été déneigée. La fin de l'année est proche, dit-il sans conviction. Ça ne fait que quelques jours.

Plus exactement cinq.

Je parcours la bibliothèque, espérant y trouver un livre que je n'aurais pas lu. Je choisis *La Mère* de Maxime Gorki, une œuvre en deux volumes reliés en toile bise, traduite à partir de la version allemande de l'édition russe.

S'enchaînent ensuite les repas à base de mouton fumé froid et les cafés agrémentés de six sortes de gâteaux secs, de biscuits à la génoise blancs ou bruns et de tarte meringuée. Pour le réveillon de la Saint-Sylvestre, la maîtresse de maison a préparé des crevettes en gelée.

Il se met à pleuvoir au cours de la nuit. Le lendemain matin, la terre est vierge de neige. La température est de dix degrés au-dessus de zéro. Quelques fusées de feu d'artifice défuntes jonchent le sol.

Le poète a trouvé quelqu'un pour nous ramener en ville. Il est manifestement soulagé.

— Nous sommes sauvés, dit-il.

Sa mère m'a appelée la jeune fille et s'est adressée à moi à la troisième personne sept jours durant.

Jusqu'au moment où elle me dit au revoir.

Elle me caresse alors la joue et déclare :

— Que la chance t'accompagne, ma petite Hekla, diadème des reines des montagnes. Quand tu reviendras l'été prochain, je te ferai goûter les tomates de ma serre.

Nous suivons le chasse-neige à bord de la jeep Willys du pasteur, un ami d'enfance du poète, qui doit se rendre à Reykjavík pour enterrer sa tante maternelle. Il porte des chaussures montantes fourrées et un bonnet en laine. Le poète est assis à l'avant et moi sur la banquette arrière, les genoux encombrés par la grosse boîte remplie de ses gâteaux préférés. La couverture en patchwork, le cadeau de Noël que nous a offert sa mère, est dans la valise. Rue Skólavördustígur, la tempête a brisé deux poteaux électriques, une cheminée entière repose place Lækjartorg, les vitres sont blanches du sel porté par le vent.

Pendant la nuit, je rêve que j'aperçois Jón John de dos dans la rue. Je cours pour le rattraper, mais ce n'est pas lui. Le monde se colore d'une clarté rougeâtre.

À quoi bon avoir des ailes,
si ce n'est pour voir Dieu ?

Thorgerdur porte des lunettes.

— J'ai remarqué, m'explique Ísey, qu'elle s'approchait au plus près des choses pour les regarder. Elle attrapait aussi les oreilles de Lýdur et collait son visage au sien. Il trouvait ça étrange. Moi, je me disais que c'était parce qu'elle le voyait si rarement qu'elle avait l'impression d'avoir affaire à un inconnu. En tout cas, on a découvert qu'elle est très myope et qu'elle a besoin de lunettes.

Debout à côté de la cuisinière, Ísey porte un pull à col roulé blanc par-dessus la robe chasuble brune faite par Jón John, elle me tourne le dos et prépare un café. Je suis assise à la table avec la petite dans les bras.

Ísey veut me faire des tartines dans le grille-pain que Lýdur lui a offert pour Noël.

— Nous le réservons aux invités. Qui ne sont pas légion. En fait, tu es la seule. Je m'en sers aussi pour moi, j'achète du pain de mie et je laisse fondre le beurre sur les tranches.

Comme elle l'avait prévu, ses beaux-parents leur ont offert à Noël un meuble de téléphone. Elle ne parle plus de l'appareil photo, mais dit qu'avec Lýdur, ils ont acheté une cape de coiffeur en nylon ouaté pour sa belle-mère.

— J'ai rêvé de Jón John.

— Il te manque ? demande-t-elle.

— Il veut que je le rejoigne. Il dit que je peux

habiter chez lui et écrire.

— Je n'irai jamais à l'étranger, Hekla. Pas plus que ma mère et ma grand-mère. D'ailleurs, qu'est-ce que j'y ferais ? Lýdur non plus n'y est jamais allé. J'ai trouvé l'homme de ma vie et je sais à quoi ressemblera mon existence jusqu'à la dernière heure.

— Je pourrais peut-être me faire embaucher comme hôtesse de l'air.

Je suis allée au bureau de la compagnie aérienne, rue Lækjargata. D'après eux, j'ai les bonnes mensurations.

— Ils disent qu'il est préférable que je participe d'abord à un concours de beauté, mais que ce n'est pas une condition d'embauche.

Mon amie me dévisage.

— Voler est le plus vieux rêve de l'être humain, tu veux monter au-dessus des nuages pour les voir d'en haut et être plus près des étoiles, mais je sais exactement à quoi tu penses, Hekla. Tu ne peux pas simplement sauter de l'avion et disparaître comme l'a fait Jón John. Qui servirait les repas et les rafraîchissements aux passagers sur le vol retour ?

Elle semble inquiète.

— Il y a autre chose, Hekla. Tous les avions ne reviennent pas. Tu te souviens de ce qui est arrivé au Hrímfaxi l'an dernier, à Pâques ? Il ne reste plus maintenant que le Gullfaxi.

Elle remplit ma tasse.

— Et puis les étoiles sont mortes depuis longtemps, Hekla. Leur lumière met des lustres à nous parvenir.

Le poète me tient le même discours quand, après

ma visite chez Ísey, je lui annonce que je veux changer de travail.

Il inspire profondément et gonfle ses joues.

— Hôtesse de l'air ? Pour aller à l'étranger ? Pour me quitter ? Tu veux rejoindre l'hermaphrodite ?

L'éternité est un Ferguson

— Les habitants de Reykjavík ne sont pas aussi malins qu'ils le croient, voilà les premiers mots que m'adresse Örn, mon frère. Les gens d'ici ne savent pas travailler, poursuit-il.

Venu assister à une réunion des jeunesses du Parti du progrès, il profite de l'occasion pour se distraire un peu à la capitale. Nous nous sommes donné rendez-vous le dimanche matin au Palais des paysans, place Hagatorg, où il est hébergé aux frais du Parti. Il a terminé ses études au lycée agricole et se prépare à faire progresser le pays en développant l'exploitation ovine de notre père pour qu'elle devienne la plus grande du canton. Assis à la table couverte d'une nappe blanche, en costume et chaussures du dimanche, une cravate réglisse au col et de la brillantine dans les cheveux, il a encore de l'acné. Je m'installe face à lui. Il est né le jour où la bombe atomique a été larguée sur Hiroshima, il est trop jeune pour consommer de l'alcool dans les bars et entrer dans les dancings. Il trimballe donc sa bouteille de vodka dans la poche de sa veste et en verse de temps à autre dans son Coca.

— L'objectif, c'est que toutes les brebis donnent naissance à trois agneaux, dit-il en vidant son verre.

Il commande une soupe au chou-fleur et un autre Coca.

Je prends un café.

— Tu es sorti t'amuser ? dis-je.

Il me répond qu'il a fait la tournée des dancings : Klúbburinn, Rödull et Glaumbær, dans l'espoir d'y trouver une fille, mais qu'on ne l'a pas laissé entrer.

Cela dit, il n'est pas enchanté de ce qu'il a vu à la capitale.

— Aujourd'hui, les femmes doivent avoir des corps de petites filles et se vêtir comme elles : elles sont efflanquées et n'ont ni poitrine ni taille, ni hanches, ni mollets. Je finirai peut-être par devoir me trouver une employée de maison en passant une petite annonce, dit-il en avalant une grande gorgée. Mais il n'est pas question que j'engage une bêcheuse, poursuit-il. Elle doit être robuste et pouvoir conduire le tracteur jusqu'à la plateforme de collecte des bidons de lait au bord de la route.

Notre conversation s'oriente ensuite sur les importateurs.

— Ils gaspillent les devises étrangères en faisant venir des gâteaux secs et des produits pour la pâtisserie. Autrement dit, ils jettent l'argent par les fenêtres au lieu de développer notre agriculture nationale.

Mon jeune frère et le poète auraient sans doute un tas de choses à se dire.

Sa question suivante porte justement sur le poète. Il

veut savoir si c'est vrai que je vis avec un communiste.

Sans attendre ma réponse, il me demande si je suis en train d'écrire un roman.

Je hoche la tête.

— Ma sœur est le seul écrivain qui soit capable de nettoyer une bergerie.

Je souris.

Pour mon frère, l'éternité est un tracteur qui dure et le temps un agneau qu'on mène à l'abattoir en automne.

Il est manifestement ivre.

Il se lève, les jambes flageolantes, et me demande de lui appeler un taxi car il veut aller s'amuser. Finalement, je le ramène dans sa chambre et je l'aide à se coucher. Il s'effondre sur le lit sans la moindre résistance. Ce voyage à la capitale ne sera pas celui où le détenteur de la Ceinture de Grettir trouvera sa future femme.

— Je t'ai entendu naître, dis-je en lui ôtant ses chaussures.

— Maman me manque, répond-il d'une voix alcoolisée.

— À moi aussi.

Je me rappelle brusquement à quel point la mort occupait ses pensées après le décès de notre mère. Si je toussais, il craignait que j'en meure.

— Je suis allé consulter un médium, marmonne-t-il sous la couette. Avec papa. Maman s'est manifestée et m'a dit de ne pas m'inquiéter. C'était sa vraie voix qui parlait. Elle m'a dit que tout se passerait bien, que toutes les brebis mettraient bas deux agneaux cette année, et que certaines en auraient même trois.

Il bredouille.

— Elle a également parlé de toi. Elle a dit que certaines personnes s'engendrent elles-mêmes. Comme toi. Elle m'a demandé de te dire bonjour avant d'ajouter… qu'il fallait… porter en soi un chaos… pour pouvoir mettre au monde une étoile qui danse… Va savoir ce que ça veut dire…

Une boîte à chaussures fourrées

En sortant de l'hôtel Borg, je comprends immédiatement à l'attitude du poète qui m'attend au pied de la statue de notre héros de l'Indépendance qu'il s'est passé quelque chose. Il s'avance vers moi à grandes enjambées, l'air grave.

— Hekla chérie, dit-il en me prenant dans ses bras.

Il relâche aussitôt son étreinte et baisse les yeux en m'annonçant la nouvelle.

— C'est Odin.

— Qu'est-ce qu'elle a ?

— Elle s'est fait écraser.

— Elle est morte ?

— Oui, Hekla chérie. Ríkey, la voisine, a trouvé un chat blessé dans le caniveau en sortant de la crèmerie. Elle croit avoir vu un camion rouge prendre la fuite. Quelqu'un a appelé le commissariat et les policiers ont abrégé ses souffrances. Pensant qu'il s'agissait d'Odin, elle est descendue au Mokka pour me prévenir. Elle l'avait reconnue à sa tache blanche au-dessus de l'œil.

— Donc elle n'est pas morte sur le coup ?

— Non.

Il me prend à nouveau dans ses bras.

— Qu'est-ce que vous en avez fait ?

— Ríkey m'a proposé de l'enterrer dans son parterre de pensées. J'ai eu bien du mal à creuser un trou étant donné le froid qu'il a fait ces jours-ci, mais j'ai fini par y arriver. Nous l'avons mise dans la boîte qui contenait les chaussures fourrées de son mari. Une boîte de taille normale n'aurait pas suffi, précise-t-il tout bas.

Cette nuit-là, je rêve qu'une voiture écrase un chat, j'entends craquer ses os et sa colonne vertébrale, l'animal terrifié sort en rampant de dessous la voiture, les intestins à l'air et le poil ensanglanté, puis il se couche sur la terre gelée pour y mourir.

Je me réveille en sursaut. Je m'assieds dans le lit. Le poète me cherche à tâtons dans l'obscurité et pose son bras sur moi.

La neige est tombée en abondance durant la nuit. Au matin, un manteau immaculé recouvre le parterre où Odin repose.

Le monde est blanc et pur.

Comme dans un rêve.

Il est comme le souvenir d'un événement lointain.

— C'est une neige de printemps, dit le poète.

Certains veilleurs de nuit ne veillent rien d'autre que la nuit

Le poète veut quitter son emploi à l'hôtel Skjaldbreid et chercher une place de correcteur dans un quotidien, comme Ægir Skáldajökull, le Glacier des poètes.

Étendu sur le lit, il se plaque l'oreiller sur le visage. Je le soulève, il me dit qu'il a mal à la tête.

— Je suis trop fatigué pour écrire la nuit, Hekla.

Il s'assied et me regarde.

— La vérité, c'est qu'il ne me vient rien. Je n'ai aucune idée. Je n'ai rien sur le cœur. Tu sais ce que ça fait d'être banal ? Non, tu l'ignores. Tes pages sont traversées par les torrents impétueux et dévastateurs de la vie et de la mort, moi je suis un ruisseau qui murmure. Je ne supporte pas l'idée d'être un poète médiocre.

— Tu es ivre ?

— Tu ne voudrais pas, Hekla chérie, m'offrir quelques mots de ta corne d'abondance… me prêter ta plume acérée qui s'abat comme un éboulis sur un village endormi ?

Il enlève son pantalon.

— Les mots m'évitent, dès qu'ils me voient, ils prennent la fuite comme un banc de nuages noirs poussés par un vent propice. Il en suffit d'une quinzaine pour écrire un poème et je ne les trouve pas. Je suis au fond de l'eau, oppressé par le poids de tout un océan salé et froid, mes mots n'atteignent jamais le rivage.

— Starkadur, tu ne veux pas dormir ?

— Qu'est-ce que je pourrais écrire ? Le soleil se lève, le soleil se couche ? Je n'ai rien à dire, Hekla.

Il s'essuie les yeux avec la taie d'oreiller.

— Je sais qu'il y a le printemps sous la neige, je sais qu'il y a l'herbe verte, la vie et la mort. Jamais je ne rehausserai la beauté du monde. Jamais je ne donnerai d'ampleur à quoi que ce soit.

Il secoue la tête.

— Je ne serai jamais disponible en relié cuir.

Après un bref silence, il reprend :

— Maintenant qu'Odin est morte, nous pourrons peut-être manger autre chose que de l'aiglefin. Est-ce que tu connais la recette de la viande au curry ? Maman m'en faisait parfois.

Une fois qu'il s'est endormi, je m'assieds au bureau et j'écris : *Mes mots n'atteignent jamais le rivage.*

Nous vous remercions d'avoir adressé votre manuscrit à notre comité de lecture

— Vous êtes originaire des Dalir ?

— Oui.

— Des terres de la *Saga des Gens du Val-au-Saumon*, comme le poète Steinn Steinarr ?

— On peut dire ça.

Mon manuscrit sous les yeux, noyé dans la fumée de son cigare derrière son grand bureau, l'éditeur m'invite à m'asseoir.

Il m'a fallu trois mois pour obtenir un rendez-vous et j'ai dû demander une autorisation d'absence au travail.

— Et vous nous avez envoyé ce roman dans une boîte à chaussures ?

— En effet…

— Il est très épais.

Il tapote son cigare dans le cendrier, l'index posé sur la pile de feuilles.

— Vous voulez devenir écrivain ?

Il n'attend pas ma réponse.

— Vous n'êtes pas facile à cerner. Ce n'est ni un roman bucolique, ni un roman citadin.

Il feuillette le manuscrit.

— Certes, votre texte ne manque pas d'audace, voire de culot, à dire vrai, je le croyais écrit par un homme…

Il réfléchit.

— La structure également est surprenante, elle me fait penser à une toile d'araignée… on pourrait parler de maillage plutôt que de fil narratif…

— La connaissance est une toile…

L'éditeur sourit du coin des lèvres et ôte le cigare de sa bouche.

— Et le jeune homme de votre histoire, il est homosexuel ?

— Oui.

Il se tait quelques instants.

— C'est compliqué de publier ce genre de choses. Des hommes qui s'en prennent aux enfants.

— Mon personnage ne fait pas ça…

Il lève brièvement les yeux vers moi, se recule dans son fauteuil et souffle la fumée de son cigare.

— Le cœur du problème, c'est que votre texte est trop différent de ce que nous publions habituellement… En outre, nous avons déjà programmé la parution des mémoires du pasteur Stefán Pálsson pour cet automne.

Il sourit.

— L'heure de la reconnaissance n'a pas encore sonné.

Il se lève et arpente la pièce.

— Cela dit, vous êtes dans votre genre un trésor de la nature : *Hekla hautement couronnée…*

— On m'a déjà dit ça.

— Mon petit doigt m'a soufflé qu'on vous a suppliée de participer au concours de Miss Islande, mais que vous avez refusé. Est-ce vrai ?

— Tout à fait.

Il va à la porte et l'ouvre.

Il attend la visite d'un jeune poète qui doit lui apporter son premier recueil.

La neige craque sous mes pieds, mon haleine blanchit dans le froid piquant. Les jours rallongent. Je pense à mon père et à ce qu'il dirait. De deux choses l'une :

Je m'attendais à ce que tu marches dans les pas des femmes fortes des Dalir, ma petite Hekla.

Ou bien :

Et la *Saga des Gens du Val-au-Saumon*, c'est un roman bucolique peut-être ?

Le trou dans la glace de l'étang de Tjörnin s'agrandit de jour en jour. Je vérifie toutefois que la couche est encore assez solide pour porter une femme et une boîte à chaussures contenant un gros manuscrit. Une oie cacarde.

Je rêve d'un autre lieu, pour toucher une autre étoile

Ísey boit son café, vide le fond de sa tasse, la fait tourner trois fois au-dessus de sa tête et la pose sur le bord d'une des plaques de la cuisinière. Assise par terre, sa fille joue avec le petit chat.

— Je suis allée voir l'éditeur, dis-je.

— Il va te publier ?

— Non.

— Qu'est-ce qu'il t'a dit ?

— Qu'il ne pouvait pas publier des textes trop éloignés de ce qu'il publie.

— Il n'a pas trouvé dans ton roman les graines de pissenlits qui volent à tout vent ?

—Non.

— Ni le soleil qui panse les blessures ? Ni le crépuscule qui enveloppe de son voile les désirs ?

— Non.

Nous gardons le silence quelques instants.

— Je ne peux pas me permettre de laisser tomber, Ísey. L'écriture est mon ancrage dans la vie. Je n'ai rien d'autre. L'imagination, c'est tout ce que j'ai.

— Tu n'es pas un écrivain d'aujourd'hui, Hekla, tu es un écrivain de demain. Ton père te l'a toujours dit, tu es née trop tôt.

Elle va à la fenêtre. Son ventre s'est arrondi.

— Tu te souviens de cette femme dont je t'ai parlé, la locataire de l'appartement d'en face ?

— Oui.

— Elle s'est noyée dans la mer ce week-end. C'est le poissonnier qui me l'a dit. J'aurais dû comprendre que ça ne tournait pas rond. Cinq mois après son emménagement, elle n'avait toujours pas mis de rideaux aux fenêtres. On m'a dit qu'elle avait fait un séjour à l'hôpital psychiatrique de Kleppur. Elle ne cuisinait plus et passait ses journées à pleurer depuis la naissance de son quatrième enfant. Elle avait seulement vingt-trois ans et l'aîné en a sept. Sa sœur s'occupera des deux plus petits. Son mari a trouvé une autre femme, mais elle ne peut pas prendre les enfants en charge. Je plains ces pauvres petits. Les deux garçons les plus âgés vont être envoyés dans un foyer en province.

Elle se tourne et s'approche.

— Tu te rappelles, Hekla, quand nous avons remonté la vallée en patins à glace et que nous sommes redescendues en glissant sur les champs inondés et gelés ? Tu ouvrais la marche, je te suivais, des touffes d'herbe jaunie dépassaient par endroits de la gangue de glace. À cette époque, les ouvriers chargés d'installer la ligne électrique n'étaient pas encore arrivés et nous avions la vie devant nous.

Elle se laisse tomber sur une chaise, les yeux rivés sur

ses paumes ouvertes.

— Ce matin, un rayon de soleil est entré pour la première fois depuis cinq mois par la fenêtre de l'appartement. Je suis restée assise dans le lit quelques instants, ce rayon doré caressant mes genoux, les paumes emplies de lumière, puis je me suis levée.

Voici les grands titres :
Le pluvier doré est arrivé

L'étang de Tjörnin grouille d'oiseaux, bientôt le jour sera aussi long que la nuit.

Quand je rentre à la maison, Starkadur écoute les informations, allongé sur le lit, la radio vissée à l'oreille.

Voici les grands titres : le pluvier doré est arrivé…

Il baisse le volume et me demande où j'étais.

— Chez Ísey.

Il s'assied.

— Nous ne pouvons pas continuer à vivre comme ça. À cuire le poisson et les pommes de terre dans la même casserole. J'ai entendu parler d'une chambre avec un coin cuisine qui risque de se libérer prochainement rue Frakkastígur. Et également d'un deux pièces rue Öldugata. Il nous faut un foyer où tu pourrais imprimer ta marque. Avec une table de salle à manger et une belle nappe. Qu'en dis-tu, Hekla chérie ?

Je suis à la lucarne, un merle lisse ses plumes après son bain dans la gouttière, ses ailes forment un parapluie replié.

— Nous pourrions prendre le car jusqu'à Thingvellir et camper quelques jours en pleine nature au bord du lac. Faire ce que font tous les couples d'amoureux, poursuit-il.

Il me regarde.

— Nous pourrions y aller en taxi. J'emprunterais une tente avec un sol en caoutchouc et des sacs de couchage, nous prendrions un café et une part de gâteau à l'hôtel Valhöll. Nous pourrions nous fiancer.

Il réfléchit.

— À moins que… que je ne m'arrange pour qu'on me prête un chalet d'été à Grafningur. Nous pourrions écrire côte à côte, lire et sentir l'odeur de la terre et de la nature qui s'éveillent. Tu te baignerais les pieds dans le lac. Qu'en penses-tu, Hekla chérie ?

Au milieu de la nuit, je sors du lit et je place une nouvelle feuille sur le cylindre de ma Remington.

Je soussignée, Hekla Gottskálksdóttir, démissionne par la présente de mon emploi de serveuse à l'hôtel Borg. Le comportement irrespectueux de la clientèle masculine perturbe à la fois mon travail et ma vie privée.

La lumière abolit la nuit

Le lendemain, je me présente à l'hôtel Borg en pantalon pour remettre ma démission.

— Le monde n'est pas comme tu le voudrais, rétorque le chef de rang. Tu es une femme, il faut bien que tu l'acceptes.

Puis je passe au bureau du directeur pour qu'il me paie mon salaire de la semaine dernière.

— Je m'attendais à ce que tu fasses un scandale, que tu finisses par refuser de servir certains clients ou que tu asperges copieusement de café ces messieurs de la grande table ronde, me confie Sirrí.

Elle fume une cigarette sur le trottoir.

— Je pensais qu'ils te mettraient à la porte en prétextant que tu n'as pas l'esprit commerçant et parce que tu te rebiffes, mais je n'imaginais pas que tu rendrais ton tablier. En général, les filles qui la ramènent un peu trop sont renvoyées d'office.

Nous sommes faits de l'étoffe de nos rêves

— Ton poète est passé me voir, m'annonce Ísey, assise à la table de la cuisine où elle fait manger sa fille.

J'avale une gorgée de café.

— Starkadur ?

— Lui-même. Je l'ai invité à entrer et je lui ai offert un café. Il avait l'air très abattu même s'il m'a fait des compliments sur mon intérieur. Il a longuement admiré les tableaux de Kjarval. Il a aussi regardé nos photos sur le buffet. Il a pris celle où nous sommes toutes les deux à côté de l'enclos à moutons et l'a observée un long moment. Il a aussi regardé Thorgerdur en disant : Tu vois, Ísey, en réalité, je ne connais pas du tout Hekla. Puis il m'a demandé si tu allais le quitter.

Elle se tait un instant puis me regarde droit dans les yeux.

— Tu vas partir ?

— Oui.

Elle essuie la bouche de sa fille, lui enlève son bavoir et la pose par terre. La petite fait quelques pas en traînant son tracteur derrière elle.

— Jón John m'a envoyé un billet. J'embarque sur le *Gullfoss*.

Elle remplit nos tasses.

— D'ici un an, ta vie aura changé, et avec elle ta manière de voir le monde. Pour moi, rien ne changera. Si ce n'est que nous serons quatre. Toi, tu sauras ce que c'est que d'être sous le feuillage frémissant d'un hêtre, tu auras respiré son parfum, tu auras vu le soleil briller à travers ses feuilles, et peut-être même que tu auras regardé une chouette dans les yeux. Tu porteras un simple gilet en laine, ton manteau sur le bras.

Elle prend la cafetière sur la plaque et me ressert.

— Tu vas t'en aller voir le monde, et moi je resterai ici en espérant que le poissonnier emballera mon aiglefin dans un poème ou un roman-feuilleton.

Elle se lève pour récupérer sa fille qui a poussé une chaise jusqu'au buffet qu'elle s'apprête à escalader.

— D'ici peu, les paysans des Dalir mettront le feu aux herbes desséchées par l'hiver dans les prés, il y aura dans l'air une odeur de fumée et de terre brûlée, et on verra sans doute aussi des petits monticules noirs et calcinés. Le feu couvera encore longtemps dans les mousses. Et quand il n'y aura plus aucune nuit entre les jours, un enfant viendra au monde.

Je t'ai aimée en commençant par t'épier

Des nuages noirs venus de la mer passent à toute allure dans le ciel. Un oiseau vole dans leur direction. Le soir venu, ils ralentissent leur course.

— Tu me quittes ?

— Oui.

— Tu pars quand ?

— Demain soir.

— Tu t'en vas au moment où les oiseaux migrateurs arrivent, dit le poète.

Il me regarde intensément.

— Je connaissais ton existence avant de te rencontrer. Je t'ai épiée. Je t'ai aperçue pour la première fois devant le Mokka, j'étais assis à l'intérieur, toi tu étais dehors, ta valise à la main. Tu as ouvert la porte comme si tu cherchais quelqu'un, puis tu l'as refermée, comme si tu avais changé d'avis. Je suis sorti et je t'ai regardée remonter la rue Skólavördustígur. Tu ne m'as pas remarqué. Je t'ai aussi aperçue un jour alors que tu descendais la rue Bankastræti, droite et fière, tu portais un pantalon à carreaux et tu marchais d'un pas décidé comme ceux qui savent ce qu'ils veulent. Je t'ai suivie sans que tu t'en rendes compte. Je t'ai vue entrer dans trois librairies, regarder les livres et les feuilleter sans en acheter aucun. Je t'ai vue entrer au Hressingarskálinn et t'attabler avec un homme aux cheveux bruns. À l'époque, je ne savais pas qui c'était. Tout le monde te regardait, mais tu ne t'en rendais pas compte. Tu riais. J'ai pensé que cet homme était ton petit ami. Avec lui, tu étais différente. Pas comme avec moi. Je me suis dit que moi aussi, j'avais envie d'avoir une amoureuse pour rire avec elle. Je vous ai suivis jusqu'à la rue Stýrimannastígur. J'ai mené ma petite enquête et j'ai découvert que tu travaillais à l'hôtel Borg. Je me suis aussi renseigné sur ton ami et on m'a dit qu'il n'était pas porté sur les femmes.

Il s'interrompt quelques instants.

— Je me suis donné pour but de t'arracher à lui, mais j'ai échoué.

Le temps est venu de se réjouir d'une nécessaire séparation

Je dis au poète que je vais passer la nuit chez Ísey.

— Maman a l'habitude d'aérer les couettes au printemps. Tu ne seras pas là.

Au moment des adieux, il me tend un paquet oblong en me disant de ne l'ouvrir que lorsque je serai sur le *Gullfoss*.

— Ce que j'admire chez toi, Hekla, c'est que tu crois en toi, quoi que les autres en pensent.

Il me tend la main, serre la mienne et la lâche aussitôt, puis détourne le regard.

À l'étranger on ne trouve pas de refuge quand la tempête se déchaîne

— Jamais je ne goûterai au buffet froid du *Gullfoss*, regrette Ísey. Ils servent tous les jours au déjeuner du saumon entier, avec un citron dans la bouche. Il y a du flétan en gelée, des petits pois, des serviettes blanches en tissu, des plats chauds pour le dîner, des mets allemands et danois, le personnel pique des bougies scintillantes dans les blancs de perdrix et les tournedos, les tables sont ornées de petits drapeaux de la compagnie Eimskip. À la table du commandant, les femmes sont en robe longue et collier de perles, et on danse tous les soirs sur le pont devant le fumoir. On boit du genièvre et de la limonade au gingembre pendant le repas. Et tout le monde est malade quand les vagues secouent le navire parce qu'au milieu de l'océan, tous les hommes sont égaux. Je connais une femme qui a travaillé comme serveuse sur ce bateau, elle m'a dit que ce n'était pas une mince affaire de porter un plateau d'argent d'un pont à l'autre, et qu'il lui est arrivé de mettre des enfants au monde, comme de veiller des défunts. Écris-moi et raconte-moi tout ça, Hekla.

Elle me serre dans ses bras. Entre nous, il y a l'enfant qu'elle porte.

Puis elle me tend une écharpe à rayures rouges et blanches.

— Elle est aux couleurs du drapeau danois. Je l'ai terminée hier soir. C'est du point mousse assez grossier, dit-elle avec un sourire. Même s'il fait toujours beau à l'étranger, tu auras froid sur le pont du paquebot. Il y aura de la houle, Hekla, il y aura du roulis et des vagues.

II.

Le poète du jour

Bien loin dans la haute mer de l'éternité
Veille ton royaume insulaire

STEPHAN G. STEPHANSSON, 1904

Mes pieds ont quitté la terre ferme

Des bancs de brume masquent la côte, et dès que le navire dépasse l'îlot d'Engey, on cesse de voir la terre : les îles et les rochers se succèdent, comme suspendus au-dessus des flots.

Je partage une cabine de seconde avec une femme et sa petite fille. Je lui propose de prendre la couchette du haut, elle accepte, reconnaissante. Son mari est danois et c'est dans cette langue qu'elle s'adresse à l'enfant.

J'ai pour tout bagage ma petite valise et ma machine à écrire, que je pose sur la table minuscule dès que ma voisine quitte la cabine. Nous longeons la côte sud. Quand nous approchons du grand panache de l'éruption et de l'île noire surgie de l'océan, je monte sur le pont pour voir si les explosions du volcan couvrent le bruit du moteur. Une nuée d'oiseaux oscille sur la crête des vagues, je sens le poids de la coque d'acier sous mes pieds. J'ai le déjeuner d'Ísey dans le ventre, elle a tenu à ce que je mange du poisson bouilli et des pommes de terre parce qu'il n'y a pas l'ombre d'un poisson dans les assiettes sur les bords de la Baltique, dit-elle. Mon estomac commence à se retourner, j'ai le mal de mer, la sueur perle sur mon front, tout est mouvement à l'intérieur de moi, un océan noir enfle dans mes veines.

Lorsque nous dépassons le glacier argenté, seuls quelques passagers sont encore sur le pont. La mer grouille de petites baleines dont la multitude de jets monte droit vers le ciel. La houle se fait plus pesante, nous allons atteindre la haute mer, la grande île s'éloigne, elle ne sera bientôt plus qu'une silhouette noire et aride derrière un écheveau de nuages.

Pendant la nuit, une fois que mes voisines de cabine sont endormies, je remonte sur le pont où je m'allonge pour contempler le ciel.

Je suis en vie.

Je suis libre.

Je suis seule.

À mon réveil, on dresse le buffet froid du petit déjeuner. La mer est d'huile, on n'entend qu'un discret clapotis, et les Îles Féroé se dressent devant nous.

Je sors de ma valise le paquet que m'a offert le poète, je le déballe et je l'ouvre. C'est un stylo-plume où il a fait graver en lettres d'or : *Hekla, poétesse d'Islande.*

La ville aux toits de cuivre

L'air est immobile et il pleut au moment où nous accostons, tôt le matin, après une traversée de cinq jours. Ici, il n'y a ni le ressac qui vous happe, ni l'écume lancée à l'assaut des falaises, rien que le doux clapotis d'une eau lisse et argentée sur le flanc du navire.

J'aperçois immédiatement DJ Johnsson qui me fait signe parmi les gens rassemblés sur la jetée. Ma valise à la main, je descends avec précaution la passerelle, il se faufile à travers la foule pour venir m'accueillir. Il me prend dans ses bras et me serre un long moment, puis relâche son étreinte et nous échangeons un regard. Il porte un costume en velours côtelé brun et une chemise violette. Ses cheveux ont poussé.

— Allons-y, dit-il. Il prend ma valise, ouvre son parapluie et le tient au-dessus de ma tête : Ce n'est pas très loin. À l'étranger, tout le monde a son pépin, commente-t-il avec un sourire.

Les gens vont au travail, pour la plupart à bicyclette. Je n'aurais pas imaginé voir ici une telle quantité de vélos.

Nous suivons des rues dallées qui longent des canaux, des docks et des enfilades d'immeubles, avant d'obliquer sur un pont. Bien que la ville me soit inconnue, les noms de rues me semblent familiers : Sturlasgade, Langebro, HC Andersens Boulevard. Un homme passe à vélo, un étui à violon à la main.

— Méfie-toi des tramways, ils ne font aucun bruit. Il ne faudrait pas qu'il t'arrive la même chose qu'à Jón Thoroddsen, le poète qui s'est fait écraser à vingt-six ans.

Sur le trajet, il me raconte qu'il a d'abord fait la plonge et le ménage, puis qu'il a travaillé dans une exploitation porcine à l'extérieur de la ville et qu'il devait prendre le train. Maintenant, il travaille par roulement dans un bar fréquenté par des messieurs, à deux pas de l'église de Sankt Peter, mais il espère encore être engagé comme costumier au théâtre. Il a un ami qui connaît quelqu'un qui y travaille et qui pourra peut-être le faire embaucher à l'atelier de couture.

— Je suis allé voir *La Nuit des rois* de Shakespeare, dit-il. J'aurais tellement aimé faire les costumes.

Je lis les panneaux et les noms des boutiques pour me créer des points de repère en danois : *Politiken, udsalg, lædervarer, cigaretter og tobak, gummistøvler.*

Le journal *Politiken*, soldes, cuirs, cigarettes et tabac, bottes en caoutchouc.

En approchant de la gare centrale, on aperçoit les tours de Tivoli.

— Nous sommes presque arrivés, dit-il en tournant sur Istedgade. Voilà, c'est ici que nous habitons, ajoute-t-il devant un immeuble en briques rouges. Au troisième étage. On entre par la cour intérieure, puis on prend la porte de service.

Deux femmes fument dans la ruelle pavée, cigarette au coin des lèvres. Le mur juste à côté est couvert de lierre.

— Ce sont mes copines, précise DJ Johnsson.

Il me suit de près quand nous gravissons l'escalier au lino fatigué. Il a compté les marches, il y en a quatre-vingt-quatre. Un enfant pleure et j'entends des cris dans l'un des appartements, mais je ne comprends pas ce qui se dit.

— Plus qu'un étage.

Il s'arrête sur le palier et introduit la clef dans la serrure. Le lino est gondolé.

L'appartement comporte deux petites pièces en enfilade. Celle du fond est meublée d'un lit simple, l'autre d'un canapé. Il pose ma valise sur le lit et ouvre la fenêtre. Dehors, un pigeon roucoule.

— Tu prendras le lit et moi le canapé, dit-il, ajoutant qu'il travaille souvent de nuit et qu'il n'est pas là tous les soirs.

Je hoche la tête. J'ai l'impression de tanguer comme si j'étais encore en mer.

La fenêtre donne sur une arrière-cour avec un grand arbre aux branches évasées.

C'est un *bøgetræ*, un hêtre, précise-t-il, l'index pointé sur le feuillu.

Quelqu'un déplace des meubles à l'étage du dessus.

— Voilà, Hekla, c'est comme ça à l'étranger, dit-il.

Je n'arrive pas à me réchauffer depuis mon arrivée, alors DJ Johnsson allume le radiateur. Il a acheté du pain de seigle et du salami, il va faire du café. Je le suis dans la cuisine, commune à trois autres appartements, tout comme la salle de bain. Il m'explique le fonctionnement de la cuisinière à gaz. Il y a un robinet d'eau froide dans la cuisine.

Il me donne quelques informations utiles en attendant que l'eau bouille.

— Tu devras t'habituer à un certain nombre de choses. Ils mangent du cochon, même la couenne qu'ils font griller, et ils en font des boulettes. Ils mangent aussi du poulet. Et ils boivent de la bière dès la mi-journée, même les jours travaillés. Les bars sont toujours ouverts. Encore une chose, Hekla, ici, la nuit tombe toute l'année, y compris au printemps et en été.

Toutes les fenêtres ouvrent sur un monde imaginaire

Le soir, DJ Johnsson part travailler dans son bar pour homosexuels. Il est de nuit. L'enfant qui habite à l'étage en dessous pleure toute la soirée. La lune est suspendue entre les cheminées, j'entends des bruits de pas dans la rue, des talons qui claquent sur le trottoir.

Je me réveille tard le lendemain matin, une épaisse brume grise recouvre la ville. J'ouvre la fenêtre. Au loin, le clocher d'une église semble flotter dans les airs, sans assise.

DJ Johnsson est rentré du travail.

Il n'est pas seul.

Il fait les présentations.

—*Det er Hekla. Min allerbedste veninde. Hekla, det er Casper*. Voici Hekla, ma meilleure amie. Hekla, voici Casper.

Bonjour, dis-je.

C'est la première fois que je parle danois.

— J'allais sortir me promener.

À mon retour, DJ Johnsson est reparti, il a laissé un mot à côté de la Remington :

Je reviens demain matin. Écris.

Le ciel devient lourd de nuages, le soir il se met à

nouveau à pleuvoir, les gouttes claquent sur les pavés de la ruelle en contrebas.

Il ne rentre qu'en fin de matinée. Sa mèche ruisselle de pluie, son col est mouillé, le khôl de ses yeux a coulé, formant des rigoles noires sur son visage.

— Tu ne m'avais pas dit que tous les Danois avaient un parapluie ?

Il me tend un sachet de fraises et se met au lit.

— C'est pour toi.

Ma chère Hekla,

La nuit d'après ton départ, je n'ai pas dormi, je pensais à toi, si loin en pleine mer. Je me suis levée, je suis allée dans la cuisine, j'ai pris mon cahier dans le tiroir du bas (sous celui où je range la farine) et j'ai écrit deux phrases qui me sont venues à l'esprit : Un bateau s'échoue sur moi dans la brume. Tandis que les grands-mères chantent des berceuses sur la ville. Quand Thorgerdur s'est réveillée, elle a dit sa première phrase de deux mots. Elle a caressé ma joue avec ses petits doigts et elle a dit : maman pleurer. À part ça, la nouvelle principale c'est que les rues sont aussi bosselées qu'une planche à laver après l'hiver. J'ai planté des pommes de terre dans un coin du jardin. Des jaunes et des rouges. Mon ventre est franchement proéminent, j'ai du mal à me baisser. Je m'endors tôt le soir, à peu près à la même heure que les pissenlits.

Le Tricorne de Napoléon

Debout sur le palier, DJ Johnsson se penche par-dessus le garde-corps, baisse les yeux vers moi et me sourit. Il est seul.

— Je t'attendais. C'est toujours la même marche qui craque quand tu gravis l'escalier en courant.

Il est sorti acheter une pâtisserie. Il va faire du café.

— Le Tricorne de Napoléon, dit-il en me tendant un gâteau à la pâte d'amande.

— C'est qui cet homme ?

— Il est professeur.

— C'est ton petit ami ?

Il hésite.

— J'ai mes besoins. C'est comme ça. Un corps en attire un autre.

Il me regarde, pensif.

— Ce n'est pas facile non plus d'être homosexuel à l'étranger.

À nouveau, il hésite.

— Il y a des jours où je me sens bien, d'autres où je vais mal. Parfois, je suis plein d'optimisme, le reste du temps, je ne le suis pas. Un instant, j'ai l'impression que tout est possible, le suivant, plus rien ne l'est. Je connais dix mille sentiments liés à la sensation de vide.

Il s'interrompt.

— Ici, j'ai vu des hommes danser ensemble pour la première fois de ma vie.

Il parle lentement.

— Il n'en reste pas moins qu'un certain nombre de

choses sont tout autant interdites à l'étranger. Les hommes n'ont pas le droit de se toucher dans la rue à la vue de tous. Tu ne verras jamais deux hommes marcher en se tenant par la main. La police fait également des descentes de temps en temps là où je travaille.

Plusieurs feuilles sont étalées sur la table.

— Tu as dessiné ? dis-je.

— Seulement quelques robes, répond-il en se levant.

Il enfile sa veste.

— Je ne passerai pas la nuit à la maison. Je reviens demain.

— D'accord.

— Bonne nuit.

— Bonne nuit.

Il me regarde intensément.

— Si je ne t'avais pas, Hekla, je mourrais.

Íseyja, ma chère Île de Glace,

J'écris tous les jours et j'aurai bientôt terminé mon nouveau roman. Det er så dejligt – c'est tellement délicieux, comme on dit ici. Le pays qui m'accueille connaît l'horizon, mais il n'a pas la beauté grandiose de nos paysages. Je le savais d'avance, ici tout est plat. Il y a beaucoup de lumière pendant la journée, elle jaillit des ruelles, mais il manque la clarté du soir. Il a plu tout le mois dernier. C'est plus difficile que je l'avais imaginé de comprendre le danois parlé. God dag, bonjour, sont les premiers mots que j'ai prononcés. Je les ai adressés à un ami de Jón John. Pour l'instant, je ne dis pas grand-

chose. Je m'offre une promenade quotidienne, j'ai arpenté Copenhague de long en large. Le premier jour, je suis passée devant toute une enfilade de restaurants et de magasins, j'ai vu un garde royal et je me suis assise sur un banc dans un parc. Hier, je suis allée sur la tombe de Jón Thoroddsen au cimetière de Vestre-Kirkegård. Il est mort le 31 décembre 1924. En rentrant, je suis tombée sur un bouquiniste, avec deux cartons sur le trottoir devant la boutique, le premier contenait des livres, le second des 78 tours. J'ai regardé, mais pour l'heure, je n'ai rien acheté. Ce qui me surprend le plus à l'étranger, c'est que le vent ne souffle pas (et il ne fait même pas semblant). Ici, la pluie n'est pas horizontale, elle tombe à la verticale comme autant de colliers de perles. Ce temps paisible alterne avec le calme plat.

Underwood Five

Au bout de quelques jours, quelqu'un frappe contre la cloison puis à la porte. Ma voisine est en chemise de nuit sur le palier, son enfant sur le bras, elle se plaint du bruit de la Remington.

— Tu t'es mise à écrire à la main ? demande DJ Johnsson en me voyant poser le stylo sur la feuille, assise au bureau.

Il se penche par-dessus mon épaule.

— Ton écriture ressemble à un chandail aux mailles

trop larges. Mon vieux professeur de calligraphie ne te donnerait pas une bonne note pour des gribouillis pareils.

Il sourit.

— En plus tu es gauchère comme Jimi Hendrix et Franz Kafka.

Je lui explique que la voisine est venue se plaindre du bruit de ma machine à écrire.

— Il t'en faut une électrique. Elles sont beaucoup plus silencieuses.

Je lui demande combien ça coûte, il me répond que ce n'est pas un problème.

— À la fin du mois, nous achèterons une Underwood Five. Avec le *ð* et le *þ* islandais, pour que tu ne sois pas forcée d'écrire la fin de ton roman en danois, ajoute-t-il.

Un vélo DBS bleu

DJ Johnsson refuse que je paie ma part du loyer ou que j'achète à manger. Un jour qu'il rentre à la maison avec une bicyclette pour moi, je commence à le soupçonner de faire des heures supplémentaires au bar.

Il se poste dans la cour intérieure et siffle. Je me penche à la fenêtre. La main posée sur le guidon, il me fait signe de descendre.

— Il te faut un vélo. Certes, celui-là est d'occasion, mais j'ai changé la sonnette, dit-il en la faisant tinter.

Je lui annonce que je vais chercher du travail.

— Moi aussi, je veux travailler.

Je me suis dit que je pourrais me faire embaucher à l'Hôtel d'Angleterre pour y préparer les *smørrebrød* aux rougets et à la sauce rémoulade, ou pour *pille røjer*, c'est-à-dire décortiquer les crevettes. Ou encore pour nettoyer l'argenterie. Dans tous les cas, en coulisse, là où personne ne me remarquera. Où on me fichera la paix.

Dès que j'aurai fini mon livre.

Ma chère Hekla,

J'ai de très bonnes nouvelles. Je viens d'avoir une deuxième petite fille. L'accouchement a été moins difficile que le premier. J'ai passé une semaine à la maternité. Ma belle-sœur a gardé Thorgerdur pendant mon absence. C'était le meilleur moment de toute ma vie. On me servait mes repas au lit, et du lait ribot avec du sucre brun et des raisins secs le matin. Lýdur n'a pas semblé trop déçu d'avoir une deuxième fille. De toute manière, il veut d'autres d'enfants. Ce ne sont que les deux premiers, dit-il. Moi, j'en mourrais si j'en avais d'autres. Ce qui m'inquiète le plus en ce moment, c'est le rêve que j'ai fait qui, d'après ma propre interprétation, signifie que j'aurai cinq enfants. Voici ce que j'ai rêvé : Je marchais toute seule sur la lande et je trouvais un nid de pluvier doré contenant cinq œufs. Thorgerdur est adorable avec sa sœur. Désormais, elle est l'aînée et me tend la tétine quand la toute petite la recrache. La sage-femme est passée à la maison hier pour peser Katla. Ma belle-mère dit qu'elle est le portrait craché de Lýdur. Elle disait la même chose de Thorgerdur (je trouve ça blessant). Mes deux filles ne se ressemblent absolument pas. Lýdur a quitté les Ponts et chaussées, il travaille maintenant en ville, il pose des armatures sur les chantiers avant le coulage du béton. Je passe souvent mes nuits dans le salon avec Katla parce que je ne veux pas qu'il s'évanouisse de fatigue dans les fondations d'un immeuble. Nous avons installé un bac à sable dans un coin du jardin. Avec un couvercle pour empêcher les chats d'y faire leurs besoins. Je fais des petits tas avec Thorgerdur qui les lance ensuite en l'air au-dessus de nos têtes, il pleut des cendres et le ciel s'assombrit, je trouve ça joli. Ça me fait penser à toi. À une éruption.

DJ Johnsson monte vers moi et vers les étoiles

Il travaille presque toutes les nuits, ce n'est souvent qu'en fin de matinée qu'il gravit l'escalier et vient se glisser sous la couette. Inutile de faire le lit, il arrive quand je me lève.

Parfois, il passe plusieurs nuits de suite à la maison.

— Le corps a aussi besoin de repos, dit-il.

Je m'assieds au bord du lit. Il me fait de la place. Je me cale contre lui.

— Je pensais que tout serait différent. Je croyais qu'il

n'y avait qu'en Islande que les homosexuels se mariaient pour avoir la paix, mais la plupart des hommes que je rencontre ici sont mariés et pères de famille. Ce n'est pas facile de vieillir pour les homosexuels. Tout le monde leur demande pourquoi ils ne sont pas mariés. Il y en a qui capitulent, ils se marient, honorent leur épouse une fois par semaine en fermant les yeux et en écoutant *My Baby Likes Western Guys* de Brenda Lee.

Il se lève.

— Peut-être que moi aussi, je finirai par me marier un jour, Hekla. Mais je ne veux pas être obligé de mentir à ma femme.

Ma chère Íseyja, mon Île de Glace,

Je viens de me mettre à un nouveau roman. Celui que j'ai envoyé à l'éditeur il y a quatre semaines s'est perdu en mer. Je suis le conseil de Jón John et j'utilise maintenant du papier carbone pour avoir un double même si c'est plus cher (puisque je consomme deux fois plus de feuilles). Il faut également appuyer davantage sur les touches.

Il m'a dit : Hekla, quelqu'un a volé ton roman. Il m'a emmenée voir deux expositions de peinture, la première au château de Charlottenborg, la deuxième à Kunstforeningen, l'Association des artistes, et nous sommes aussi allés voir un ballet au Théâtre royal.

Ce qui m'a cependant le plus marquée la semaine dernière, c'est le concert des Beatles, ce groupe de Liverpool, nous sommes allés les voir à KB Hallen. Ils ont joué I Saw Her Standing There, I Want to Hold Your Hand, *et bien d'autres chansons, mais on avait du mal à les entendre tant les filles danoises hurlaient et se déchaînaient.*

Entretien d'embauche

L'homme m'invite à prendre place dans un bureau meublé de fauteuils capitonnés en cuir. Il remonte légèrement son pantalon impeccablement repassé en tirant sur le tissu et s'installe face à moi, ma lettre de candidature sous les yeux.

— Je vois que vous souhaitez travailler *bagtil, dans les coulisses.*

— En effet.

— Il est plutôt étrange de préciser qu'on tient à être *invisible.* Vous parlez d'une présence invisible, *en usynlig nærværelse.*

Il agite ma lettre tout en me toisant.

— Elle ne contient pas une seule faute. Elle est rédigée dans un style parfait et littéraire. Et vous utilisez des mots qu'on rencontre rarement à l'oral. Où avez-vous appris notre langue, si vous me permettez cette question ?

— Nous avions encore un roi danois quand je suis née et une bonne partie de notre bibliothèque familiale est en danois.

Il se recule dans son fauteuil et croise les mains. Je

retourne mentalement dans la bibliothèque de la maison. Je pourrais lui dire qu'elle abrite la *Store Danske Encyclopædi*, la *Grande Encyclopédie danoise* des éditions Gyldendal avec ses soixante-dix mille entrées et ses presque quatre kilos, qu'on y trouve également les livres de cuisine de ma grand-mère qui a fréquenté une École ménagère de la province danoise de Jutland, que la moitié d'une étagère est consacrée à l'histoire du Danemark, qu'elle contient l'*Histoire de la famille Borg* de Gunnar Gunnarsson, en danois, et *La Répétition* de Søren Kierkegaard. Que nous avons également quelques dictionnaires bilingues danois-islandais, le plus ancien datant du XIXe : le *Dictionnaire explicatif de la plupart des termes inusités, étrangers ou difficiles rencontrés dans les ouvrages danois* de Gunnlaugur Oddsson. Et que, pour ma part, je possède le *Dictionnaire islandais-danois* de Sigfús Blöndal dont on dit que l'épouse, le docteur Björg C. Thorláksson, a consacré vingt ans de sa vie à la rédaction de cet ouvrage sans que son nom y soit nulle part mentionné. Je l'ai lu tout entier, de la première à la dernière page. En réalité, j'ai dévoré tous les livres que nous avions à la maison dès que j'ai su lire, je les ai avalés les uns après les autres, dans l'ordre où ils étaient rangés sur les étagères et en commençant par celles du bas. Puis je les ai remontées. Les unes après les autres. Tu dois être plus grande pour certains livres, me disait ma mère quand je me plaignais de ne pas atteindre celles d'en haut.

J'aurais également pu dire à cet homme que nous lisions parfois des numéros du magazine danois *Familie*

Journal qu'on se passait de ferme en ferme. On y trouvait des photos du roi Frédéric IX et de ses trois filles en robes de soie froufroutantes. Chuintantes et sifflantes, disait une femme de ma campagne.

— Dernièrement, j'ai lu des poétesses danoises, dis-je.

— *Jaså* ? Vraiment ?

Il me fixe d'un air inquisiteur.

— Vous vous y connaissez en préparation des *smørrebrød ?*

— J'ai travaillé dans un abattoir, j'ai donc une certaine expérience de la découpe de la viande.

Il reprend ma lettre sur son bureau et met ses lunettes.

— En effet, je lis ici que vous avez été employée dans un abattoir il y a deux ans.

Il repose ma lettre.

— La lettre de recommandation jointe à votre candidature précise que vous êtes éprise de beauté et d'harmonie.

— Tout à fait.

À mon retour, DJ Johnsson a acheté de la viande hachée, des biscottes et des œufs. Il prépare des fricadelles.

Je lui annonce que j'ai trouvé un travail, de six heures du matin à trois heures de l'après-midi.

— Au fait, qu'as-tu écrit dans ma lettre de recommandation ? je lui demande.

Ma chère Hekla,

Merci pour le manteau de Thorgerdur. Aucun des enfants du quartier n'a un aussi beau vêtement. Nous avons acheté une tondeuse et à quatre heures du matin, je suis sortie couper notre petite pelouse. J'avais laissé la porte entrouverte, mais les filles dormaient à poings fermés. Tout comme leur père. Je n'avais rien écrit dans mon journal depuis plusieurs semaines, mais en rentrant, j'y ai noté trois phrases : L'herbe est maintenant si haute qu'elle me monte presque aux tétons. Bientôt, elle ne pourra plus pousser à la verticale. Alors elle se couchera comme une femme qui enfante.

Ça ne correspondait pas vraiment à la réalité puisque l'herbe me montait tout juste à la cheville. Mais j'avais envie de parler de tétons. Sans doute parce que mes seins sont gorgés de lait. Si j'avais décrit la pelouse après l'avoir tondue, j'aurais dû recourir à une comparaison masculine en parlant de poils de barbe. Après avoir noté ces trois phrases, j'ai décidé que j'arrêtais d'écrire dans mon journal. Je replie mes ailes. De toute manière, elles sont aussi petites que celles d'un moineau et ne me permettent pas de voler plus loin que le bois de Thrastarskógur, oh, Hekla ! À part ça, la nouvelle principale, c'est qu'un des jumeaux de la poissonnerie est mort (subitement). J'ignore lequel des deux. Celui qui vit encore ne plaisante pas avec moi et je ne sais pas si c'est parce qu'il est en deuil de son frère ou parce que celui qui m'appelait sa chérie est décédé. Je suis mère de deux enfants, j'ai vingt-deux ans et j'ai un penchant très prononcé pour la mélancolie. Pardonne-moi de partager ces pensées avec toi. Jette ces gribouillis.

Suis-je assez loin de chez moi pour pleurer ?

DJ Johnsson n'est pas rentré depuis deux jours. Je passe au bar pour prendre de ses nouvelles.

— Il est en congé ce week-end, me répond son collègue qui me toise en essuyant les verres. Tu es sa sœur ? Vous vous ressemblez comme deux gouttes d'eau. Si ce n'est qu'il est brun et toi blonde.

Quand DJ Johnsson rentre enfin, il titube. Une bouteille de bière à la main, il a tout l'air d'avoir passé une nuit blanche.

Je le dévisage.

— Je ne fais pas commerce de mon corps. Je ne me drogue pas. Je célèbre le fait d'être en vie.

Je m'installe à côté de lui sur le lit.

— Tu sais, Hekla, certains homosexuels veulent que je porte des vêtements féminins et que je joue le rôle d'une femme. Je refuse qu'on me voie comme une femme, Hekla. Je suis un homme.

— Je sais.

Il baisse les yeux.

— Je ne suis qu'un garçon qui aime les garçons.

Il s'allonge et se met l'oreiller sur la tête.

Je me rapproche de lui et je le cajole. Il tremble.

— Je suis étranger en ce plat pays. DJ Johnsson. Je suis un hôte de passage sur cette Terre. Je suis né par accident. On ne m'attendait pas. Je suis parfois tellement fatigué, Hekla. Tellement las d'exister qu'il m'arrive d'avoir simplement envie de

somnoler
sommeiller
de passer un mois entier
dans les bras de Morphée.

J'essaie de me rappeler s'il nous reste du hareng et de la betterave.

— Tu veux que je te prépare un *smørrebrød?*

—Je ne rêve que de couture, Hekla. Ma machine à coudre est une machine à écrire.

Ma petite Hekla,

Le jour finit, le soir commence. Il fait neuf degrés. La récolte de foin s'annonce honorable malgré un printemps humide. Tes bras manqueront pendant la fenaison, contrairement à ceux de certains poètes qui n'ont pas l'endurance qu'il faut pour travailler au grand air. Il est d'ailleurs étonnant de constater à quel point les écrivains manquent souvent de résistance physique. Quand ils ne sont pas tout simplement aveugles comme Homère, Milton ou Borges, ils sont boiteux et incapables de la moindre besogne. Un jour, un poète, lointain parent de ta mère et originaire de Reykjavík, s'est installé sans se gêner chez nous pendant six jours. Sans doute avait-il son assentiment. C'était au plus fort du fauchage. Son but était d'écouter le parler des gens de la campagne pendant que nous trimions.

À part ça, la nouvelle la plus importante du moment, c'est que l'éruption de Surtsey dure encore. Cela fait neuf mois qu'elle a débuté et l'île a maintenant atteint une altitude de 174 mètres. Ce printemps, deux autres cratères se sont ouverts à côté du principal, donnant naissance à deux autres îles. On les a baptisées Surtur Ier et Surtur II, comme on le fait avec les rois. Mais ce n'est pas fini car une autre île est appelée à naître, un petit cratère nommé Sytlingur, le Petit Noir.

Voici la nuit de juillet qui arrive, tiède et silencieuse. Les jours passent, les heures sombrent.

Ton père

Si loin du champ de bataille du monde

— Je peux, suggère DJ Johnsson qui réfléchit tout en parlant, demander à mon ami de te relire si tu as envie d'écrire en danois.

— Comme Gunnar Gunnarsson ?

— Disons que j'avais plutôt en tête un texte court comme une nouvelle.

Pendant la nuit, il me rejoint dans le lit.

— Il fait froid dans l'autre pièce. Et je me sens seul, dit-il.

Je lui fais une place.

— J'ai rêvé, poursuit-il, que je faisais un tour de manège dans un parc d'attractions désert, dans un environnement austère et tout en grisaille. J'étais seul et je me disais : La Terre tourne en entraînant tout le monde avec elle sauf moi. J'en suis exclu.

Il marque un silence.

— Je crois, Hekla, que je voudrais qu'on m'enterre à côté de ma mère à Búdardalur.

Ma chère Hekla,

Nous avons acheté un terrain dans le quartier de Sogamýri. Lýdur y va tous les soirs pour creuser les fondations de notre future maison. Je reste alors seule avec les filles. Il veut s'inscrire au Lions Club ou au Kiwanis. C'est la seule solution, dit-il. Un homme marié et père de deux enfants se doit d'avoir des relations. Sinon nous ne trouverons jamais de maçons. Lýdur est très fier de ses filles, il faut reconnaître qu'il est très doué pour dormir même quand elles pleurent la nuit. Il se montre également compréhensif malgré le désordre qui règne dans l'appartement. Je suis en train de lui faire un pantalon avec la machine à coudre de Jón John, mais c'est plus difficile que je l'avais imaginé.

Brûle cette lettre. Ou plutôt, déchire-la en mille morceaux, jette-les en l'air et laisse-les retomber sur ta tête et tes épaules comme une averse de neige, ma chère amie. Tu n'es pas obligée d'être nue.

Ta meilleure amie (pour la vie)

Vers le sud

— Nous devons quitter l'appartement à l'automne, déclare DJ Johnsson. Qu'est-ce qu'on va faire ?

Je termine la phrase que je suis en train d'écrire et je me retourne.

— En trouver un autre.

Il me dévisage.

— Partons, Hekla.

Je me lève.

— Où ça ?

— Loin vers le sud. En train.

Il se tient au milieu de la pièce.

— Nous sommes pareils, Hekla. Nous n'avons nulle part notre place.

— Nous n'avons pas de quoi acheter un billet de train. Nous n'avons rien.

Tout ce que je possède se résume à deux machines à écrire dont une électrique.

— Nous trouverons un moyen. Je ferai encore plus d'heures.

Il s'accorde un instant de réflexion.

— Le voyage durera bien une semaine, tu écriras.

— Pendant tout le trajet ?

— Oui, tout le trajet.

Nous irons jusqu'au terminus du train, jusqu'à la mer.

En route, nous achèterons du pain et des fromages qui portent le nom des villages où ils sont fabriqués.

Chère Hekla,

J'ai de grandes nouvelles. Nous avons une voiture, plus exactement une Saab orange que Lýdur a achetée pour une bouchée de pain par le biais de son beau-frère. Qui plus est, j'ai passé mon permis. C'est Lýdur qui m'y a incitée, il a fait quelques balades en voiture avec moi pour économiser sur les cours de conduite. Le moniteur était très surpris de voir que je savais reculer. Pendant l'examen, on m'a demandé de me garer. Ni ma mère ni ma belle-mère ne conduisent. Pour ma première sortie, j'avais envie d'aller à Sogamýri pour voir Lýdur qui travaille toujours aux fondations de notre future maison, mais à peine arrivée sur le boulevard Snorrabraut, j'ai failli renverser un touriste en faisant une marche arrière. Il n'a pas été blessé, mais nous étions aussi choqués l'un que l'autre. Qui donc s'attend à croiser un touriste ici à la fin du mois d'août ? C'est un géologue français venu en Islande observer l'éruption de Surtsey. Il a sorti sa carte routière et m'a montré où il allait. La moindre des choses était de l'emmener jusqu'à Thorlákshöfn même si j'avais mes deux filles sur la banquette arrière. Heureusement, Katla a dormi dans son couffin presque tout le trajet, sinon j'aurais été forcée de m'arrêter au Chalet des skieurs pour lui donner le sein. Il m'a fallu un certain temps pour expliquer au touriste que ma meilleure amie s'appelle Hekla et ma fille Katla, mais il a fini par comprendre. Ce sont deux volcans, lui ai-je dit.

P.-S. J'ai croisé Starkadur hier rue Barónstígur avec une jeune fille. Apparemment, ils se sont passé la bague au doigt. Il m'a demandé si j'avais de tes nouvelles, je lui ai répondu que tu m'écrivais une fois par semaine. Il a regardé la petite dans son landau. La fille qui l'accompagnait écarquillait constamment les yeux pendant que nous discutions.

Deux personnes s'affrontent en moi

DJ Johnsson m'attend à la sortie du travail et me raccompagne à la maison. Nous sommes à vélo. Je remarque immédiatement qu'il est nerveux.

— Il y a un problème ?

— Hekla, je me demande si nous ne ferions pas mieux de nous marier avant de partir en voyage, annonce-t-il sans ambages.

Je me tourne vers lui, il n'a pas l'air de plaisanter.

Je lui souris.

Il repousse la mèche qui couvre ses yeux.

— Je suis sérieux.

C'est la troisième fois en peu de temps qu'il parle mariage, soit parce qu'un de ses amis va sauter le pas, soit qu'il se dit qu'il finira lui-même par s'y résoudre.

— Donc tu capitules ?

Il se contente de regarder droit devant lui.

— Il y a un moment que j'y réfléchis. Je crois que ça nous arrangerait tous les deux.

Il marque une pause.

— Et ça nous coûtera moins cher. Nous n'aurons besoin que d'une seule chambre d'hôtel si nous portons une alliance.

— Ça ne marchera jamais, dis-je.

— Il y a des couples de toutes sortes. Tu es ma meilleure amie. Nous sommes tous deux différents.

Il s'arrête et me toise.

— Ça ne changera rien. Je pourrai rester tel que je suis, et toi, tu pourras écrire. Nous prendrons soin l'un de l'autre.

Nous avons atteint la porte de l'immeuble. Il m'aide à attacher mon vélo.

— Tu sais, plusieurs femmes m'ont déjà demandé en mariage, ajoute-t-il.

Deux chiens se battent dans la ruelle.

— Nous ferions un beau couple. Le plus beau couple qui soit, Hekla.

Ma très chère Hekla,

Mon beau-père est décédé il y a deux semaines après une longue et pénible maladie. J'ai écrit une nécrologie publiée dans le Morgunbladid, c'était le seul hommage à sa mémoire. Même s'il n'était pas très proche de Lýdur, je me suis dit qu'il méritait bien une mention dans le journal en échange des tableaux de Kjarval. Lýdur m'a pris dans ses bras ce soir-là en me disant qu'il ignorait que son père aimait la poésie de Hannes Hafstein. (Il m'avait demandé de lui lire la nécrologie à voix haute car, pour je ne sais quelle raison, les lettres se mélan-

gent quand il lit lui-même. Je ne comprends pas ça.) Pour rédiger mon texte, je suis partie des vers : Je te chéris, tempête, je t'aime, je t'aime, guerre éternelle. Une chose a cependant déplu à Lýdur : au milieu de l'église il y avait une femme voilée de noir qui semblait inconsolable, mais que personne ne connaissait. Lýdur dit qu'il n'y comprend rien. J'ai retroussé mes manches pour nous faire de nouveaux rideaux en me servant de la machine à coudre. Ils sont orange comme la Saab. Cela dit, Lýdur n'a remarqué aucun changement dans notre chambre.

P.-S. J'ai lu le poème de Sylvia Plath que tu m'as envoyé et je te jure qu'il m'a transformée, je ne suis plus la même, ce texte parle de moi. Il est tellement étrange et beau, merci de me l'avoir traduit, depuis je n'arrive plus à penser à autre chose.

Nébuleuse

J'ai écrit aux rédacteurs en chef de trois quotidiens islandais pour leur demander s'ils étaient intéressés par une chronique de voyage. En précisant que je préférais qu'ils me paient d'avance. Alors que nous nous apprêtons à renoncer à notre périple, trois événements se produisent. Je reçois une réponse du rédacteur en chef du *Populaire*, qui est prêt à me rémunérer pour ma chronique et me consent une petite avance. Puis je reçois également le courrier du rédacteur en chef d'une revue danoise qui souhaite publier la nouvelle que je lui ai transmise après relecture par le collègue de Jón John au bar. Le journaliste affirme que la structure de mon texte est surprenante et qu'elle fait penser à une nébuleuse. On décèle cependant un système dans cette folie, *system i galskabet*, ajoute-t-il. Un chèque est joint à ce second courrier. J'enfourche mon vélo, je fonce à la gare et j'achète deux billets de train. Deux allers simples.

Mais ce qui contribue le plus à notre pécule est la lettre que je reçois de mon père.

Ma petite Hekla,

L'été est fidèle à lui-même. Ni la pluie ni le temps sec n'arrivent au bon moment. Tu me dis que tu comptes partir en voyage vers le sud. N'aurais-tu pas besoin d'un petit magot ? Tu trouveras ci-joint une lettre timbrée que ta mère conservait dans ses affaires, et qui provient de la collection de son arrière-grand-père. Il s'agit de la réponse d'un fonctionnaire du roi à une missive de doléances que lui avait envoyée ton trisaïeul, et dans laquelle il se plaignait que le bailli vienne sur ses terres pour ramasser des œufs de macareux sans y être autorisé. Je me suis dit, ma chère Hekla, que tu pourrais peut-être essayer d'en tirer un peu d'argent. Les timbres ont en général plus de valeur s'ils sont sur l'enveloppe. Je ne me perds pas en mots, mais j'espère que votre voyage vers le sud sera aussi plaisant qu'instructif.

Auberge de la plage

Nous descendons du train tard dans la nuit. Comme il fait encore sombre, nous attendons sur un banc de la gare que l'astre du jour apparaisse à l'horizon et que le monde prenne forme. Nous attrapons alors nos valises pour rejoindre la plage déserte. Allongés sur le sable, nous nous endormons.

Je me réveille avec du sable dans les cheveux, des miettes de coquillages collées derrière les genoux et une chaleur brûlante sur les paupières : la lumière blanche emplit tous les recoins du monde. J'ai un goût de sel sur les lèvres. Un homme approche en courant et plante deux parasols à côté de nous.

Je me rendors.

Quand je rouvre les yeux, j'aperçois DJ Johnsson qui, immobile sur l'estran, regarde vers le large. Il porte le même costume blanc que lorsque nous sommes partis, il y a cinq jours. Il a relevé ses bas de pantalon. Je le vois marcher dans la mer et je le rejoins, je plonge les mains dans l'eau, elle file entre mes doigts et y laisse un goût salé. Puis je retourne là où j'étais.

La plage se remplit peu à peu : des enfants creusent des trous dans le sable, des femmes enduisent leur mari d'huile solaire. Elles portent des paniers dont elles sortent des serviettes et des chapeaux à large bord.

La chaleur m'assomme.

Je ne suis pas habituée à de telles températures, je n'en ai fait l'expérience qu'une seule fois il y a sept ans, lorsqu'une vague de chaleur s'est abattue sur les

Dalir et que le thermomètre a atteint vingt-six degrés. Mon père avait déboutonné son col de chemise, dévoilant au bas de son cou la ligne qui démarquait la zone hâlée du reste de son corps d'un blanc immaculé.

J'ai perdu de vue DJ Johnsson, puis soudain le voilà à mes côtés, deux esquimaux à la main.

—Allons-y, dit-il.

Les hommes l'observent autant qu'ils me regardent. Et il les regarde aussi.

—Ne dis rien et ne tourne pas la tête, m'enjoint-il en m'attrapant la main pour me relever.

Ma chère Íseyja,

J'ai des nouvelles. Je suis en voyage avec Jón John. Après l'été le plus pluvieux de mémoire d'homme sur la ville baignée par le détroit d'Øresund, nous avons décidé de partir vers le sud. Nous avons quitté nos emplois et notre appartement, j'ai vendu ma machine à écrire électrique (pour une bouchée de pain) à un étudiant islandais inscrit en études nordiques, et nous avons bouclé nos deux petites valises. Je n'étais jamais montée dans un train, je n'avais jamais vu le monde défiler sous mes yeux tout en restant immobile. Ne sois pas choquée, ma chère Ísey, Jón John et moi, nous nous sommes unis à la mairie avant de quitter Copenhague. Je suis donc désormais une femme mariée. La cérémonie a été brève et belle. Nous avons acheté deux alliances en or. Il était en costume blanc, moi je portais la robe couleur aurore boréale qu'il m'a faite l'an dernier, mais que je n'avais jamais eu l'occasion de mettre. Nos témoins étaient un ami de Jón John qui est professeur et Mette, une de mes collègues à la préparation des smørrebrød. Nous avons acheté un gâteau à la pâte d'amande, Mette a apporté une bouteille de vin blanc, nous nous sommes assis sur un banc dans un parc et nous l'avons bue. Ne t'inquiète pas. Jón John me comprend, il connaît mon besoin d'écrire et nous veillons l'un sur l'autre. Je suis forte, il est vulnérable et sensible, mais il me protège à sa manière.

Ton amie,
Hekla

C'est ici que nous nous arrêtons

Le train s'immobilise un moment sur les rails au milieu d'une vallée puis redémarre et entre lentement en gare. Mon époux me dit qu'elle porte le nom d'un héros de l'indépendance mort exécuté.

C'est notre première halte.

Nous regardons les prix dans les restaurants et finissons par acheter du pain et des tranches de saucisse. Le fromage nous fait bien envie, mais il est trop cher.

La femme qui tient la pension Sainte-Lucie avec son mari met un certain temps à recopier tous les renseignements inscrits sur nos passeports. Elle ne se presse pas non plus en feuilletant toutes les pages vierges, comme si elle se demandait encore si elle allait nous louer une chambre. En demi-pension. Elle lève la tête par intermittence et nous toise. Sur son bureau, la statuette d'une femme à la tête ceinte d'une auréole tend la main, portant ses yeux sur un plateau. Je regarde DJ Johnsson en me disant qu'il pense peut-être aux questions que se pose la propriétaire : se demande-t-elle s'il honore sa femme tous les soirs ?

Pendant qu'elle remplit les papiers, nous balayons les lieux du regard.

Une télévision dont le son est réglé trop fort trône dans la salle de restaurant : quatre chaînes, précise la logeuse en levant le même nombre de doigts. La lueur bleue de l'écran se voit depuis la rue. Des vases avec des fleurs en plastique décorent les tables recouvertes de nappes à carreaux, les chaises sont disposées de manière à ce que tous puissent regarder la télévision en mangeant. Je tripote mon alliance. Enfin, la propriétaire tend à mon mari la clef d'une chambre. Les murs sont vert d'eau, les draps froids et humides, la penderie pleine de cintres inutiles. Mon époux accroche sa veste sur l'un d'eux, déboutonne sa chemise et s'allonge sur le lit. La chaleur amplifie les sons, on entend la conversation deux étages en dessous aussi clairement que si on nous la murmurait à l'oreille ; quelque part en bas dans la rue, un homme chante. J'ouvre les volets qui occultent les fenêtres, la rue est si étroite qu'on aperçoit à peine un bout de ciel. Sur une corde tendue tout près entre deux maisons sèchent les draps des clients de la pension.

— Tu trouveras un autre époux plus tard, déclare

l'homme allongé sur le lit.

Je me retourne.

— Je ne veux pas d'autre époux.

Je me couche à côté de lui.

— Tu es le seul homme qui n'exige rien de moi.

Ses bras reposent le long de son corps, paumes ouvertes et tournées vers le ciel. Je passe mon doigt sur sa ligne de vie. Elle est marquée, mais s'arrête brutalement.

— Tu crois que nous survivrons à tout ça ?

— Oui, je crois.

Si ce n'est pas nous, ce sera deux autres que nous.

Il se lève.

— J'ai écrit à ma mère pour lui dire que je suis maintenant un homme marié.

Ma chère Hekla,

J'espère que tu ne m'en voudras pas si je t'appelle ma chère Hekla car tu as encore et tu auras toujours une place dans mon cœur. J'espère qu'Ísey m'a donné la bonne adresse.

La dernière fois que je t'ai écrit, la lettre m'est revenue avec la mention : n'habite plus à l'adresse indiquée. En réalité, je suis soulagé que tu ne l'aies pas reçue, elle était trop mièvre. Ça ne faisait pas très longtemps que tu étais partie sur ce bateau et elle était pleine de jérémiades. Toutes mes pensées tournaient autour de toi. Depuis, ma situation a changé, j'ai rencontré une jeune fille originaire de Vík í Mýrdal et je suis désormais chauffeur de taxi.

J'ai arrêté d'écrire. De toute façon, je n'ai rien à dire. Maintenant, je ramène les poètes chez eux après leurs soirées dans les bars. Je travaille souvent douze heures de suite, parfois aussi le week-end. J'ai entendu parler de ton manuscrit au Mokka. Áki Hvanngil l'a lu, de même que quelques autres. C'est la sœur de son voisin qui connaît le relecteur de la maison d'édition qui le lui a confié. Voilà ce que je tiens à te dire, Hekla : tu as un don du ciel. Tu as du courage. Bien que je ne sois plus poète, je sais reconnaître la bonne littérature.

Jamais je ne t'oublierai.

Ton ami pour l'éternité,
Starkadur Pjetursson

Une brèche dans la nuit

Mon mari a son oreiller et moi le mien, mais nous partageons le même drap. Parfois, nous dormons tous les deux sur le dos, parfois l'un est couché sur le ventre et l'autre sur le dos, et à d'autres moments, chacun est tourné de son côté. Il arrive aussi que je le tienne dans mes bras comme une sœur le ferait avec son frère, ou qu'il me serre dans les siens comme un ami. Ce n'est pas comme si sa main s'attardait sur la poitrine de la femme qui occupe l'autre moitié du lit. Il n'empêche que quand je me réveille, j'ai besoin d'un certain temps pour me souvenir que seuls des hommes ont le droit de toucher le corps qui est à mes côtés.

J'ouvre les yeux une fois pendant la nuit, mon époux est absent. Je me rendors et quand j'émerge à nouveau, il est debout au milieu de la chambre, il me regarde, me sourit et m'apporte une tasse de café avec une tranche de gâteau. Ensemble, nous retendons le drap moite et tirebouchonné, nous remettons la couverture et faisons le lit au carré.

Le ciel est aussi bleu qu'hier. DJ Johnsson suggère que nous allions visiter une vieille église. L'odeur d'humidité qui flotte à l'intérieur ressemble à celle d'une remise à pommes de terre. Il y entre en premier et s'arrête devant un tableau qui représente un jeune homme dont les boucles dorées retombent sur les épaules. Les mains attachées dans le dos, il lève les yeux vers le ciel. Son corps sublime est percé de dizaines de flèches.

Je pose ma tête sur l'épaule de DJ Johnsson.

— On ne peut pas toucher un saint sans se brûler les doigts, dis-je.

Il contemple le tableau.

— Je voudrais tant être normal, Hekla. Je voudrais ne pas être moi.

À notre retour à la pension, la propriétaire nous annonce qu'une chambre avec vue sur les collines s'est libérée dans l'autre aile de l'établissement. Elle se dit prête à nous la céder puisque nous sommes en voyage de noces. Elle était assise avec son mari devant la télé quand nous sommes partis et elle y est toujours lorsque nous rentrons. Je comprends qu'elle lui demande s'il veut un morceau de pêche en la voyant lui tendre un quartier à la pointe de son couteau.

Ne réveillez pas l'amour avant qu'il le veuille

La pension dispose d'un petit patio meublé de quelques chaises et d'une table en plastique. Je descends ma vieille Remington pour ne pas réveiller mon ami qui est rentré tard dans la nuit. Une bande rosée traverse le ciel et, haut dans les airs, on aperçoit des lambeaux de nuages qui ont déjà disparu lorsque je retire la première feuille du cylindre.

Le mari de la logeuse se promène en marcel blanc et m'adresse un signe de tête.

— Écrivain, dit-il.

C'est une affirmation. Une conclusion. Il a réfléchi plusieurs jours avant d'y parvenir.

— Tu prends des couleurs, dit la voix sur le lit quand je remonte dans la chambre. Tes taches de rousseur se multiplient. Tu deviens toute dorée.

Je prends des couleurs à force d'être assise à pelleter dans le bac à sable, m'a écrit Ísey il y a quelques semaines. *Mais le vent souffle constamment et le soleil est froid. Thorgerdur est enrhumée depuis le début de l'été.*

Ma chère Ísey,

La chaleur s'infiltre partout. Les nuits aussi sont brûlantes (même si les sols sont glacés). J'ai mangé des fruits qu'on ne trouve pas en Islande, comme des raisins et de vraies pêches. Si un jour, je deviens importatrice, je ferai venir des fruits pour Thorgerdur et Katla. (Certes, il y a peu de chances que ça se produise tant que la nation consacre toutes les devises étrangères dont elle dispose à l'achat de carburant pour nos bateaux de pêche.) Hier, nous avons mangé du poulpe. C'est tout mou, on dirait du caoutchouc. J'écris huit heures par jour. C'est juste avant que la nuit tombe comme un rideau que les sensations sont les plus précises. Comme taillées dans le marbre. Jón John fait plus d'efforts que moi pour lier connaissance avec les gens du cru. Cette nuit, j'ai rêvé qu'il y avait trop de mots dans le monde et pas suffisamment de corps. Nous resterons ici tant que nous aurons l'argent nécessaire.

P.-S. J'ai reçu une lettre de Starkadur où il m'apprend que mon manuscrit (celui qui s'était perdu en mer) passe de main en main et que plusieurs personnes l'ont lu. Je suis arrivée assez loin dans l'écriture de mon prochain roman, très différent de tout ce que j'ai fait jusque-là. Je n'espère même pas le voir publié, pas plus que les précédents.

Paix

À son retour, mon époux tient une bouteille à la main.

Il la pose sur la table et sort de sa poche une paire de lunettes de soleil qu'il me tend.

— C'est pour toi.

Je referme mon livre. Il a emprunté des verres à notre logeuse.

Il a une grande nouvelle.

— Martin Luther King, qui lutte pour les droits des Noirs en Amérique, a reçu hier le prix Nobel de la Paix.

Jón John regardait la télévision avec les propriétaires. Notre logeuse l'a aidé à comprendre l'information. *Noir*, a-t-elle répété plusieurs fois en lui montrant la jupe qu'elle portait. *Paix*.

— Est-ce que tu savais, Hekla, que plusieurs homosexuels ont reçu le Nobel de Littérature ?

Selma Lagerlöf, Thomas Mann, André Gide... énumère-t-il.

Il ne me donne pas des baisers de sa bouche

— Tu lis la Bible ? s'étonne-t-il.

— Je l'ai trouvée dans le tiroir de la table de chevet.

— Tu comprends la langue ?

— Non, mais je connais par cœur le Cantique des Cantiques.

Je remets le livre à sa place.

— J'ai reçu une lettre de mon père, dis-je en lui montrant l'enveloppe sur la table.

Il se lève et s'approche.

— Te demande-t-il si je suis à la hauteur en tant qu'époux ?

Je prends la feuille et je la déplie.

— Il a appris que ma situation a changé et me demande si certains détails ne s'opposent pas à notre arrangement.

J'hésite.

— Selon lui, notre couple est étrangement assorti.

Mon époux s'assied sur le lit et se prend le visage dans les mains.

— Pardonne-moi, murmure-t-il.

— Que je te pardonne quoi ?

— De n'être pas l'homme qu'il te faut. De ne pas pouvoir aimer une femme.

Il se lève, ouvre le placard et en sort une chemise jaune qu'il enfile. Il me regarde tandis qu'il la boutonne.

— Il m'arrive de penser aux femmes et à leur corps. Et aussi de penser à toi. Brièvement. Puis je me remets à désirer le corps des hommes.

Je l'ai cherché sur ma couche pendant la nuit mais je ne l'ai pas trouvé

Au milieu de la nuit, je cherche mon mari à tâtons dans le lit. Je suis seule. Je me rendors. Quand je me réveille à nouveau le lendemain matin, il est allongé à mes côtés. Entièrement habillé. Il porte la même tenue qu'hier. Les premiers feux du jour pointent derrière les volets. Il se redresse et regarde droit devant lui, fixant l'obscurité.

Je me lève et j'ouvre les persiennes.

Il a des bleus sur le visage, il s'est bagarré. Il était à la gare, la police est arrivée et a emmené quelques hommes qui traînaient dans les toilettes.

— Tu te mets en danger, n'est-ce pas ? dis-je.

Il semble méditer sa réponse.

— Je suis incapable de me comporter raisonnablement, Hekla, concède-t-il.

Je lui demande comment ça se passe quand il sort rencontrer d'autres hommes.

— On leur fait comprendre qu'on est intéressé. Un point c'est tout. Ce n'est pas compliqué.

Je m'assieds à ses côtés.

— Les hommes que je rencontre sont mariés pour la plupart.

— Comme toi ?

Il me dévisage.

— Oui, comme moi.

— Par conséquent, vous vous comprenez ?

— Je leur donne ce qu'ils n'obtiennent pas auprès de leur femme.

— Sauf que toi, tu n'es pas obligé de coucher avec ton épouse.

Il se tient la tête entre les mains.

— Hekla, je sais que je n'ai rien à t'offrir.

Il se lève, ôte son pantalon froissé et sa chemise puis se lave le visage à l'eau froide dans le lavabo à l'angle de la chambre. Il me regarde dans le miroir.

— À quoi penses-tu ? dis-je.

— À toi et à ton livre, je me demande si j'y figure en tant que personnage secondaire ou principal, je pense aussi à un homme que j'ai rencontré hier, à ma mère, à ce qu'elle fait en ce moment et au rêve que j'ai fait cette nuit.

Il se tourne vers moi.

— Mon rêve ressemblait au souvenir d'un jour d'hiver dans les Dalir. Tout était si pur. Tout était si blanc. D'un blanc éclatant. Il n'y avait pas un souffle de vent, Hekla. Et, chose étrange, il faisait chaud. C'était le silence. Un silence absolu. Comme si j'étais mort.

Ce qui jamais n'arriva

Je suis assise à la table, je le crois encore endormi quand soudain, le voilà à côté de moi. Il me regarde écrire. Je me tourne.

— Quelle est ta plus grande hâte ?

— Terminer le livre que j'écris en ce moment.

— Et ensuite ?

— Me mettre au suivant.

— Et ensuite ?

— En écrire encore un autre.

— Et quand tu auras fini ça ?

J'hésite.

— Je ne sais pas. Et toi ?

Il s'avance vers la fenêtre, il me tourne le dos.

— Fais de nous des amants dans ton histoire, Hekla. Arrange-toi pour qu'arrive ce qui n'arrive pas. Fais que les mots deviennent chair. Fais-moi père. Pour que je laisse une trace dans mon sillage.

— Le monde ne sera pas toujours comme ça, dis-je.

— Il y a aussi peu de chances que les homosexuels

deviennent libres un jour que de voir l'être humain marcher sur la Lune, Hekla.

Je retire la dernière feuille du cylindre de la machine à écrire, je la pose à l'envers sur le reste de la pile. C'est la page 262. Puis je me lève et je m'approche. Il me regarde.

— Certes, il n'y a pas de place en ce monde pour un homosexuel, Hekla, mais il y a de la place pour une femme qui écrit.

— Allons nous coucher, dis-je. Demain, tu te sentiras mieux.

— Demain, c'est dans sept minutes.

Ma chère Hekla,

Nous avons enfin emménagé à Sogamýri. Le quartier regorge de maisons et d'immeubles encore inachevés, aux murs à l'état brut, où grouille une foule d'enfants. Nous occupons l'unique pièce qui soit terminée et je cuisine sur une seule plaque électrique dans la buanderie. On vient de poser des carreaux de faïence jaune dans la salle de bain. C'est Lýdur qui s'en est occupé, même s'il m'a laissée choisir la couleur. Nous n'avons pas encore installé les portes intérieures, et la fenêtre du salon est fermée par une bâche en plastique. Les fondations de la future maison à côté de la nôtre sont remplies d'eau boueuse et jaunâtre. J'ai tellement peur que Thorgerdur y aille que je ne la quitte pas des yeux. À la fin du mois, j'aurai une cuisinière et un évier. Nous comptons poser des plaques d'herbe l'été prochain et je rêve de planter une haie de buissons qui délimitera notre terrain – de préférence des groseilliers – et aussi des fleurs. J'aimerais tellement avoir des rhododendrons.

Ton amie,
Ísey

Le corps de la Terre

Cela commence par un étrange grincement qui n'est pas sans rappeler le couinement d'un animal ou le sifflement du vent de février par une fenêtre disjointe, puis soudain, le sol quatre fois centenaire de la pension tressaute et on entend des grondements, comme si une troupe de quarante chevaux sortis de leur enclos s'élançait au grand galop. La terre tremble sous l'écurie, le monde bouge à toute vitesse. La penderie tangue, elle tombe tout d'un bloc sur le lit, la tringle à rideaux se décroche, les fenêtres vibrent, une faille s'est ouverte dans la terre. On entend un craquement, comme si un mur explosait.

Allongée dans le pré, je mâche un brin d'herbe quand ma mère sort de la maison en courant. Lorsque nous retournons à l'intérieur, les placards de la cuisine sont ouverts et deux tasses en porcelaine Bing et Grøndal ornées d'oiseaux blancs au liseré doré sont en mille morceaux sur le sol.

J'attrape ma Remington et mon manuscrit, et je me précipite dehors.

Ma chère Hekla,

La neige a rendu les déplacements difficiles cet hiver. À nouveau, un violent blizzard venu de l'Est s'abat sur la région, accompagné d'un froid glacial.

Ton frère a rencontré une jeune fille au traditionnel banquet de thorrablót, mais leur relation a été éphémère, elle l'a éconduit.

Bientôt, ce sera la fin de la saison de pêche. L'éruption dure encore à Surtsey.

Ton père

Chère Hekla,

Merci de m'avoir envoyé ton manuscrit. Je l'ai lu d'une traite, incapable de faire quoi que ce soit d'autre (je l'avais posé sur le siège passager de mon taxi pour pouvoir m'y replonger entre deux courses).

J'ai été surpris par ta requête me demandant d'apposer mon nom en couverture. Sache toutefois que je comprends parfaitement que tu aies envie de voir ce texte publié. Au début, il m'a paru déraisonnable de m'approprier ainsi ton livre, mais après mûre réflexion et après en avoir parlé à Sædís, ma fiancée, me voici prêt à accéder à ton souhait. Ce sera donc mon œuvre.

Starkadur Pjetursson

NOTE SUR LES RÉFÉRENCES

Les titres des chapitres aux pages 17, 254 et 257 sont tirés du Cantique des Cantiques. Le titre de la page 106 est une citation indirecte de Tomas Tranströmer. Le titre de la page 124 est une citation d'André Malraux et celui de la page 208 une citation de Shakespeare. Les titres des pages suivantes sont inspirés de poèmes de : Steinn Steinarr, page 149 ; Abdelmajid Benjelloun, page 200 ; Mohamed Loakira, page 211 ; Halldór Laxness, page 212, et Hulda, page 239.

CHEZ LE MÊME ÉDITEUR
Dernières parutions

Jacques Stephen ALEXIS
L'étoile Absinthe

AMBAI
De haute lutte
traduit du tamoul (Inde) par Dominique Vitalyos
et Krishna Nagarathinam

Abdelaziz BARAKA SAKIN
Le Messie du Darfour
traduit de l'arabe (Soudan) par Xavier Luffin

Vanessa BARBARA
Les Nuits de laitue
traduit de portugais (Brésil) par Dominique Nédellec

Benny BARBASH
My First Sony
Little Big Bang
Monsieur Sapiro
traduits de l'hébreu par Dominique Rotermund
La vie en cinquante minutes
traduit de l'hébreu par Rosie Pinhas-Delpuech

A. Igoni BARRETT
Love is Power, ou quelque chose comme ça
traduit de l'anglais (Nigeria) par Sika Fakambi

Vaikom Muhammad BASHEER
Grand-père avait un éléphant
Les Murs et autres histoires (d'amour)
Le Talisman
traduits du malayalam (Inde)
par Dominique Vitalyos

Dominique BATRAVILLE
L'Ange de charbon

Yahia BELASKRI
Le Livre d'Amray

Bergsveinn BIRGISSON
La Lettre à Helga
traduit de l'islandais par Catherine Eyjólfsson

Soffía BJARNADÓTTIR
J'ai toujours ton cœur avec moi
traduit de l'islandais par Jean-Christophe Salaün

Jean-Marie BLAS DE ROBLÈS
Là où les tigres sont chez eux
La Montagne de minuit
La Mémoire de riz
L'Île du Point Némo
Dans l'épaisseur de la chair
Le Rituel des dunes

Eileen CHANG
Love in a Fallen City
Deux brûle-parfums
traduits du chinois par Emmanuelle Péchenart

René DEPESTRE
Popa Singer

Boubacar Boris DIOP
Murambi, le livre des ossements

Pascal GARNIER
La Solution Esquimau
Les Insulaires et autres romans (noirs)
L'A26
Nul n'est à l'abri du succès

Comment va la douleur ?
La Théorie du panda
Lune captive dans un œil mort
Le Grand Loin
Cartons
Les Hauts du Bas

Einar Már GUÐMUNDSSON
Les Rois d'Islande
traduit de l'islandais par Éric Boury

Hubert HADDAD
Le Nouveau Magasin d'écriture
Le Nouveau Nouveau Magasin d'écriture
La Cène
Oholiba des songes
Palestine
L'Univers
Géométrie d'un rêve
Vent printanier
Nouvelles du jour et de la nuit
Opium Poppy
Le Peintre d'éventail
Les Haïkus du peintre d'éventail
Théorie de la vilaine petite fille
Corps désirable
Mā
Premières Neiges sur Pondichéry
Casting sauvage
Un monstre et un chaos

Zora Neale HURSTON
Mais leurs yeux dardaient sur Dieu
traduit de l'anglais (États-Unis) par Sika Fakambi

HWANG Sok-yong
Le Vieux Jardin
traduit du coréen par Jeong Eun-Jin

et Jacques Batilliot
Shim Chong, fille vendue
Monsieur Han
traduits du coréen par Choi Mikyung
et Jean-Noël Juttet

Antonythasan Jesuthasan
Friday et Friday
traduit du tamoul (Sri Lanka) par Faustine Imbert-Vier,
Élisabeth Sethupathy et Farhaan Wahab

Yitskhok Katzenelson
Le Chant du peuple juif assassiné
traduit du yiddish par Batia Baum
et présenté par Rachel Ertel

Shih-Li Kow
La Somme de nos folies
traduit de l'anglais (Malaisie) par Frédéric Grellier

Koffi Kwahulé
Nouvel an chinois

Andri Snær Magnason
LoveStar
traduit de l'islandais par Éric Boury

Marcus Malte
Garden of Love
Intérieur nord
Toute la nuit devant nous
Fannie et Freddie
Le Garçon

Medoruma Shun
L'âme de Kôtarô contemplait la mer
traduit du japonais par Myriam Dartois-Ako,
Véronique Perrin et Corinne Quentin

Les Pleurs du vent
traduit du japonais par Corinne Quentin

Kei Miller
L'authentique Pearline Portious
By the rivers of Babylon
traduits de l'anglais (Jamaïque) par Nathalie Carré

Daniel Morvan
Lucia Antonia, funambule

R. K. Narayan
Le Guide et la Danseuse
Dans la chambre obscure
traduits de l'anglais (Inde) par Anne-Cécile Padoux
Le Magicien de la finance
traduit de l'anglais (Inde) par Dominique Vitalyos

James Noël
Belle merveille

Auður Ava Ólafsdóttir
Rosa candida
L'Embellie
L'Exception
Le rouge vif de la rhubarbe
Ör
traduits de l'islandais par Catherine Eyjólfsson

Makenzy Orcel
Les Immortelles
L'Ombre animale
Maître-Minuit

Miquel de Palol
Le Jardin des Sept Crépuscules
traduit du catalan par François-Michel Durazzo

Nii Ayikwei Parkes
Notre quelque part
traduit de l'anglais (Ghana) par Sika Fakambi

Serge Pey
Le Trésor de la guerre d'Espagne
La Boîte aux lettres du cimetière

Ricardo Piglia
La Ville absente
Argent brûlé
traduits de l'espagnol (Argentine)
par François-Michel Durazzo

Zoyâ Pirzâd
Comme tous les après-midi
On s'y fera
Un jour avant Pâques
Le Goût âpre des kakis
C'est moi qui éteins les lumières
traduits du persan (Iran) par Christophe Balaÿ

Răzvan Rădulescu
La Vie et les Agissements d'Ilie Cazane
Théodose le Petit
traduits du roumain par Philippe Loubière

Mayra Santos-Febres
Sirena Selena
La Maîtresse de Carlos Gardel
traduits de l'espagnol (Porto Rico)
par François-Michel Durazzo

Joachim Schnerf
Cette nuit

LA COUVERTURE DE
Miss Islande
A ÉTÉ CRÉÉE PAR DAVID PEARSON
ET IMPRIMÉE SUR OLIN ROUGH
EXTRA BLANC PAR L'IMPRIMERIE
FLOCH À MAYENNE.

LA COMPOSITION,
EN GARAMOND ET MRS EAVES,
ET LA FABRICATION DE CE LIVRE
ONT ÉTÉ ASSURÉES PAR LES
ATELIERS GRAPHIQUES
DE L'ARDOISIÈRE
À BÈGLES.

IL A ÉTÉ REPRODUIT SUR LAC 2000
ET ACHEVÉ D'IMPRIMER EN FRANCE PAR NORMANDIE ROTO
IMPRESSION S.A.S. À LONRAI
LE VINGT AOÛT DEUX MILLE DIX-NEUF
POUR LE COMPTE DES ÉDITIONS
ZULMA, VEULES-LES-ROSES.

978-2-84304-869-2
N° D'ÉDITION : 869
DÉPÔT LÉGAL : SEPTEMBRE 2019

*

NUMÉRO
D'IMPRIMEUR
1902886

*

IMPRIMÉ EN FRANCE

Rabindranath TAGORE
Quatre chapitres
Chârulatâ
Kumudini
traduits du bengali (Inde) par France Bhattacharya
Kabuliwallah
traduit du bengali (Inde) par Bee Formentelli

Pramoedya Ananta TOER
Le Monde des hommes – Buru Quartet I
Enfant de toutes les nations – Buru Quartet II
Une empreinte sur la terre – Buru Quartet III
La Maison de verre – Buru Quartet IV
traduits de l'indonésien par Dominique Vitalyos

David TOSCANA
El último lector
Un train pour Tula
L'Armée illuminée
traduits de l'espagnol (Mexique)
par François-Michel Durazzo
Evangelia
traduit de l'espagnol (Mexique)
par Inés Introcaso

Abdourahman A. WABERI
La Divine Chanson
Aux États-Unis d'Afrique

Benjamin WOOD
Le Complexe d'Eden Bellwether
traduit de l'anglais (Royaume-Uni) par Renaud Morin

ZHANG Yueran
Le Clou
traduit du chinois par Dominique Magny-Roux